Non
Finito

Les sept stades
de la philosophie

Non Finito

Les sept stades
de la philosophie

파스칼 샤보 지음 정기헌 옮김

논 피니토 : 미완의 철학
삶을 충동질하는 철학의 일곱단계

함께읽는책

일러두기

- 이 책은 2011년 Presses Universitaires de France에서 출간된 *Les sept stades de la philosophie*를 우리말로 옮긴 것입니다.
- 단행본은 《 》안에, 정기간행물과 소책자, 논문, 시 등은 〈 〉안에 넣었습니다.
- 본문 안에 각주는 모두 옮긴이 주입니다.

뱅시에게

차례

1부
내가 철학에서 찾는 것

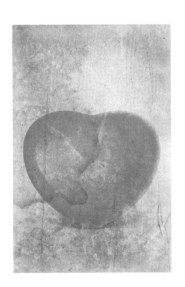

1. 이것을 철학이라고 부를 수 있을까?

철학을 필요로 하는 것은 존재이다. 이론은 거저 만들
어진 창조물이나 고상한 소일거리가 아니라 삶의 요
청에 대한 응답이다. 순수한 이론이란 삶이 한때 머물
렀다가 다른 곳으로 떠나며 남긴 흔적, 이를테면 빈
조개껍데기, 석회암 퇴적물 같은 무기질의 기억이다.
내게 흥미로운 것은 지금 **형성 중**인 철학 속에, 생각
으로 변형 중인 삶 속에 있다.

사람들이 철학자에게 잘 던지지 않는 질문이 있다. 당신은
무엇을 찾고 있는가? 당신이 욕망하는 대상은 무엇인가? 몇
주, 몇 년 혹은 인생 전체를 바쳐서 당신이 찾는 것은 무엇인
가? 철학자들 역시 서로에게 이런 질문을 던지는 일은 드물
다. 일종의 터부이자, 쉽게 입 밖으로 꺼내기 두려운 근본적
인 물음이기 때문이다. 왜 두려울까? 대다수의 철학자들은
자신이 갈망하는 것이 무엇인지 말할 능력이 없기 때문일까?
그럴지도 모른다. 아니면, 애초부터 대답이 존재하지 않는다
는 것을 예감하고 있는 것일까? 그럴 수도 있다. 그도 아니
면, 그들은 고대 중국이 눈에 보이지 않는 황제를 중심으로

조직되었던 것처럼 자신들의 학문 분과가 이 답 없는 질문 주위를 계속 맴돌기만을 바라는 것일까? 다소 도착적이긴 하지만 가능한 대답이다. 더 간단한 답도 가능하다. 그들에게는 이처럼 지나치게 개인적인 질문을 던질 시간도 욕구도 없는 것이다. 충분히 그럴 수 있다. 각 개인에 따라, 성격에 따라 대답은 다를 수 있다. 하나의 질문을 피해 가기 위한 수많은 이유와 방법들이 존재한다.

한편, 눈치도 없이 불쑥 질문을 던지는 이들이 있으니, 철학의 문외한들이다. 철학자와 같은 테이블에 앉자마자 그들은 철학자가 찾고 있는 게 무엇인지 묻지 않고는 못 배긴다. 무람없이, 대놓고 묻는 것이다. 그 질문에 허공으로 시선을 돌리는 불쌍한 철학자의 심정이 이해가 간다. 갑작스러운 질문을 던져 놓고는 솔직한 답변을 고대하고 있는 이 관객에게 뭐라고 대답해 주어야 하나? 이럴 땐 농담으로 맞받아치는 것 말고는 방법이 없다. "야생 달팽이를 찾고 있습니다." 달리 무슨 말을 하겠는가? 고독과 자기 성찰을 필요로 하는 이런 질문에 대해 별로 생각해 본 적이 없다고 솔직히 털어놓을 수는 없는 노릇이다. 상대에게 몽둥이를 쥐어 주고 나를 때려 줍쇼 하는 것과 다를 바 없다. 어쨌든 질문은 그대로 남는다. 문외한이 옳았다. 그의 유일한 실수는 쉬운 답변을 바란 것뿐이다.

철학에 지나치게 개인적인 것이란 없다. 선대 철학자들의 권위와 그들의 이론에 대한 경건한 주석들 때문에 철학자는 생각을 시작하기도 전에 어깨가 처지고 등이 굽는다. 철학사는 철학 전체에서 하나의 솔페지오에 불과한데도 마치 영원히 반복해서 연주해야 할 교향곡인양 오해하는 것이다. 철학만큼 자신의 과거에 질투를 느끼는 학문 분과는 없다. 철학만큼 자신의 과거를 잘 보존하고 자주 들춰 보는 학문 분과도 없다. 철학자에 비하면 예술가는 거의 무한한 자유를 누린다. 예술가가 선배들을 바라볼 때는 그저 윙크를 날리기 위해서이다. 그에게 과거는 이미 지나간 시간이다. 그의 선조들은 이미 잠들었다. 반면, 철학자는 무덤에 묻힌 말들을 발굴하고 영혼들을 불러낸다. 한 무리의 선대 철학자들이 현재의 철학자와 동행한다. 그는 그들의 권위 아래서 감히 생각하고, 그들로부터 지원과 후원을 얻고 그들의 후임자가 되기를 바란다. 이처럼 과거를 숭배하는 관습은 그 자체만으로는 문제가 되지 않는다. 그러나 그 결과는 썩 바람직하지 않다. 철학자들은 자주 다른 철학자들의 생각을 공부하는 데 너무 많은 에너지를 쏟는 나머지 스스로 생각하는 법을 잊어버리기 때문이다.

오로지 개인적인 입장에서만 답을 찾을 수 있는 질문들이 존재한다. 이를테면 철학을 통해 찾고자 하는 게 무엇인지 밝히려 할 때가 그렇다. 타인에게 질문을 떠넘기는 것은 문제를 비켜 가는 것이나 마찬가지이다. 개인적으로 나는 완전히 만족스러운 철학의 정의를 제시할 능력이 없다. 때로는 몇 달이 지나도록 내가 철학에서 찾고자 하는 것, 찾았다고 믿었던 것을 망각하는 경우도 있다. 나는 내 삶의 거의 절반, 그러니까 약 18년 동안 철학을 **했다**. 한편으로는 매우 공식적이고 아카데믹한, 벨기에 국립과학연구재단Fonds national de la recherche scientifique de Belgique의 연구원으로서, 다른 한편으로는 교수로서 강의를 하거나 논문과 책을 썼다. 장 라신이 말한 대로 "궁전에서 자란 나는 복잡한 에움길들을 잘 알고 있다."[1] 동시에 나는 다른 길에 발을 들여놓기도 했다. 몇 년 전부터 나는 현대무용과 관련된 일을 하고 있다. 정신보다 몸이 더 많은 말을 하는, 특별한 규범 체계를 갖춘 분야이다.

나는, 철학에서 무엇을 찾는가 하는 질문을 언제라도 던질 수 있다고 생각한다. 들뢰즈와 가타리는 《철학이란 무엇인가Qu'est-ce que la philosophie?》에서 이 질문은 노년의 철학자에게 어울린다고 주장했다. 그들은 한 철학자가 인생의 종점에 도달할 무렵에, 지나온 길을 돌아보며 자신을 반성하고, 자신이 무엇을 했는지 자문할 수 있다고 말한다. 나는 그 말에 동의하지 않는다. 내 생각에 철학자는 더 자주, 더 일찍, 그러니까 노년기뿐 아니라 젊은 시절에, 삶의 한가운데에서 그 질문과 대면해야 한다. 만약 철학자들이 자신이 찾는 것이 무엇인지 더 자주 자문한다면 철학의 모습도 바뀔 것이다. 그들이 그 질문에 대한 답을 얻을 수 있을지는 확실치 않다. 또한 질문에 대한 답을 찾은 후에도 철학을 계속할 수 있을지 알

---

1 장 라신Jean Baptiste Racine의 비극, 《바자제Bajazet》에 나오는 대사이다.

수 없다. 자신이 찾고 있다고 믿었던 것이 한낱 허상에 불과하다는 것을 깨닫고는 연구를 계속하는 게 시간 낭비라고 생각할 위험도 있다. 가장 훌륭한 철학도 자신이 가진 것 이상을 제공하지는 못한다. 그런 의미에서 이 질문은 모든 자각이 그렇듯 위험을 내포한다.

그러나 위험이 있는 곳에서는 언제나 얻는 것도 있다. 욕망의 대상에 접근하고 이름을 붙이는 행위는 그 대상에 더 큰 존재감을 부여한다. 말은 그것이 지시하는 대상을 존재하게 만드는 신비한 힘을 가지고 있다. 이 존재는 언어로 한정된다는 점에서 불충분하지만 분명 실재한다. 말이 가진 이런 힘은 철학의 기초를 이룬다. 생각하는 사람은 라스코 동굴 벽화를 그린 사람이 이미지를 사용하듯 언어를 사용한다. 그는 한 대상에 이름을 붙임으로써 그것과 정신적인 관계를 맺는다. 그는 그 대상을 다독이고, 그것에 익숙해지고, 그것의 특징들을 파악한다. 무언가에 합당한 이름을 붙이는 일은 자유를 향해 의미 있는 일보를 내딛는 것과 같다. 마찬가지로 라스코 동굴의 사냥꾼은 들소의 실루엣을 그림으로써 의례적 차원에서 미리 그 대상과 만날 수 있었던 것이다. 동굴을 나서는 순간 그는 이미 사냥할 준비가 되어 있었다. 마찬가지로 철학자는 동굴을 나설 때(우리는 여기서 동굴에 대한 플라톤적 신화의 오래된 기원을 발견한다) 자신이 찾는 것이 무엇인지에 대해 생각하고 있다. 무엇보다 중요한 것은 동굴로부터 나오는 것이다. 다시 말해, 오직 언어 속에만 머무르지 않는 것이다.

그러나 이런 탐색에 대해 어깨를 한 번 으쓱하고는, 어쨌든 질문은 항상 똑같지 않느냐고 되묻는 이들도 있을 것이다. 우리는 철학을 통해 무엇을 찾는가? 존재론, 의식론, 인식론, 논리학, 자연과 문화에 관한 철학, 몇몇 부차적인 관념들, 그리고 모든 게 순조롭다면 윤리학까지. 바로 이런 것들이야말로 철학이 자신의 고유한 수단인 개념을 통해 밝히려고 하는 대상이다. 답은 여러 가지가 있겠지만 질문들은 플라톤 이래로 잘 알려진 것들이다. 즉 철학자는 "존재란 무엇인가?", "앎이란 무엇인가?" 등의 질문에 대한 답을 찾는다. 이러한 탐색 과정 속에 개인적인 요소들을 뒤섞는 것은 바람직하지 않다고 말하는 이들도 있다. 철학은 객관성을 추구하기 때문에 비개인적이고 중립적이어야 한다는 것이다.

상당히 설득력 있는 주장이지만 나는 동의할 수 없다. 나는 다른 것을 찾는다. 만약 누군가가 내게 완벽하게 작동하는 존재론, 현상학과 신경과학적 유물론matérialisme neuronal을 훌륭하게 결합한 의식론, 완전무결한 인식론, 혹은 엄청나게 탁월한 이해력을 선보인다면 나는 너무 감탄한 나머지 입을 다물지 못할 것이다. 그럼에도 내 자신이 던진 질문에 대한 답은 여전히 얻지 못할 것이다. 내게는 이론만으로는 충분하지 않다. 이론이 곧 철학은 아니다. 단지 철학의 그림자일 뿐이다. 우리는 철학 속에서 삶과 이론의 만남을 파악해야 한다. 경험한 것과 생각한 것 사이에 끊임없는 왕복 운동 혹은 게임이 전개된다. 오직 이론만 있을 때 이 운동은 정지한다. 이론은 자신의 요람인 삶을 벗어나 추상화된다. 철학을 필요로 하는 것은 존재이다. 이론은 거저 만들어진 창조물이나 고상한 소일거리가 아니라 삶의 요청에 대한 응답이다. 이론은 한 존재의 항의 표시와 같다. 그 존재는 자신이 경험한 것 앞에서 목소리 없는 존재, 정신의 단순함에 머무르지 않고 **정신의 복합**^{complexe d'esprit}을 추구한다. 즉 이론화하고 구성한다. 단지 삶을 이해하기 위해서만이 아니라 자신을 지키고, 즐겁든 불행하든 삶을 계속해 나가기 위해서이다. 철학적 충동은 이론을 변형시키며 생의 충동을 뒤쫓는다. 위대한 사상 이면에는 항상 이론화하지 않고는 배길 수 없었던 하나의 삶이 자리 잡고 있다. 이 만남이야말로 철학이다. 순수한 이론이란 삶이 한때 머물렀다가 다른 곳으로 떠나며 남긴 흔적, 이를테면 빈 조개껍데기, 석회암 퇴적물 같은 무기질의 기억이다. 흥미로운 것은 지금 **형성 중**인 철학 속에, 생각으로 변형 중인 삶 속에 있다.

　이론은 편안함 속에 안주해서는 안 된다. 이상적으로—이 부사는 '머릿속에 예를 떠올릴 수 없다'로 정의되어야 한다—, 철학자는 자신의 추상抽象들이 새로운 경험에 의해 효력을 상실하고 파기되는 것을 반긴다. 즉, 자신의 생각이 불완전하고 불충분하고 미숙할 수밖에 없다는 것을 인정한다. 그럼에도 그는 개념과 언어를 통해 자신의 경험을 표현하기를 그만두지 않을 것이다. 그리고 자주 삶이 자신의 생각을 앞서 가는 것을 보게 될 것이다. 그는 그것을 하나의 귀중한 증거, 자신의 철학이 여전히 **형성 중**이라는 표시로 받아들이고, 자신의 이론이 언제나 반증 가능하다는 것, 그리고 삶은 확실히 우리가 그것에 대해 말할 수 있는 것 이상으로 경이롭다는 사실을 인정할 것이다. 삶과 이론 사이의 싸움에서 우리는 항상 삶의 편을 들어야 한다. 이는 철학하는 자세에 첫 번째로 요구되는 원칙이다. 그의 이론은 미켈란젤로의 몇몇 조각 작품처럼 논 피니토[non finito2], 즉 완성되지 않은, 완성될 수 없는 것으로 남게 될 것이다. 논 피니토의 철학은 무한하게 잡다한 실재의 흔적을 보존한다. 매끄럽게 다듬어진 이론의 표면 밑으로 현실을 포섭하려는 유혹이 막 생겨나려는 찰나에 멈춘 것이기 때문이다.

그러나 이런 경우는 매우 드물다. 삶을 이론화하는 것은 자주 삶으로부터 자신을 보호하기 위해서이다. 삶을 합리적으로 설명하는 것은 삶을 더 합리적으로 만들기 위해서이다. 이런 의미에서 본다면 철학을 한다는 것은 스스로를 안심시키기 위해 어둠 속에서 혼잣말을 하는 것과 같다. 혹은 욕망의 핵심은 말로 표현할 수 없는 것임을 너무도 잘 알면서 그것에 대해 단호한 견해를 주장하는 것과 같다. 물론 우리는 때로 안심할 필요, 말할 필요를 느낀다. 그러나 간단히 말해

---

2 미완성'이라는 의미이다. 미켈란젤로는 논 피니토의 아름다움을 개척한 예술가로 평가받는다.

서, 마지막 구두점을 찍기 전에 멈추는 것이 좋다. 때로 완결적이고자 하는 의지가 이론을 망친다. 이는 철학자가 자연에 대한 관찰寫生보다는 자신의 기억을 가지고 작업하고 있음을 의미한다. 예전에 그는 자연을 관찰했지만 일단 컴퓨터 앞에 앉고 나면 관찰을 중단하고 사실들이 자신의 생각을 반박할 가능성을 차단해 버리는 것이다. 철학에서 논 피니토는 드물다. 내용이 연결되지 않고 조각조각 떨어진 짧은 글이라고 해서 무조건 그게 가능해지는 것도 아니다. 이런 형식도 완결적일 수 있기 때문이다. 논 피니토는 차라리 하나의 정신적 상태로서, 삶과 이론의 만남이 중단되지 않는 형식이다. 또한 모순을 받아들이고, 자신의 철학 속에 그것을 뒤흔들 수도 있는 존재의 틈입을 허용하는 형식이다.

하나의 이론이 경험의 복잡한 풍부함에 의해 제거되는 것을 보면서 즐거움을 느끼는 게 이상해 보일 수도 있다. 그러나 나는 이러한 즐거움이 없는 철학은 생각할 수 없다. 사유의 실패는 항상 상대적이며, 결국 삶이 이론에 대해 권리를 되찾은 것을 의미한다. 이는 철학적인 성공에 다름 아니다.

이것이 바로 내가 찾는 것일까? 나는 삶과 이론의 만남, 모든 가능한 만남, 다양한 결론들을 품은 경험들을 찾고 있는 것일까? 나는 테오리아Theoria3 산을 기어오르다가 매번 굴러

---

3 그리스어로 '보는 것'을 의미한다. '이론'을 뜻하는 영어의 'theory', 불어의 'théorie'의 어원이다. 아리스토텔레스는 인간의 지적 활동을 테오리아와 프락시스praxis,실천 활동, 포이에시스poiēsis, 노동로 나누고, '테오리아의 생활

떨어지는 철학자 시지포스를 바라보는 즐거움을 찾고 있는 것일까? 확실히 말할 수 있는 것은 만남이 중심에 놓여야 한다는 것이다. 철학은 충돌 속에서 자양분을 얻는다. 혹은 충돌 그 자체인지도 모른다. 철학은 체험된 혹은 생각된 경험들이 언어를 통해 만나는 방식의 일종이다.

삶과 이론의 만남에 반드시 나타나는 표지가 있다. 바로 감정이다. 감정 없이 위대한 철학은 없다. 우리를 처음 세계로 이끄는 것은 감정이다. 감정은 근본적으로 인간적인 반응이다. 성찰이나 언어가 개입하기 전에 감정은 이미 하나의 사건에 대해 긍정적이거나 부정적인 판단을 내리고, 타인을 가까이 하거나 멀리하며, 한 장소, 분위기, 주변 환경에 대한 친화성의 정도를 느끼게 해준다. 매혹, 중립, 혐오 모두 본능적인 반응에 속한다. 색깔들, 냄새들, 한 얼굴의 형태, 목소리의 울림, 이러한 모든 전前의식적infraconscient 표지들은 그것들을 포착하고 거기에 특성을 부여하는 감정의 재료가 된다. 이는 매우 물리적인 과정이다. 어느 쪽으로 가거나 가지 않거나, 무언가에 동조하거나 그것을 회피하는 모든 행위들을 우리는 만남의 연금술이라 부를 수 있을 것이다.

철학은 항상 이 과정을 배제해 왔는데, 그 이유는 잘 알려져 있다. 감정은 이성이 아직 본격적으로 작동하기 전에 개입한다. 그리고 이성이 일단 자리를 잡고 나면 그것을 반박하

bios theōrētikos'을 인간 생활의 이상으로 삼았다.

거나 그것에 반하는 방향으로 가는 일은 거의 불가능해진다. 이성의 우위는 때로 전체주의적이다. 이성은 그것에 귀 기울이는 이들에게 순수하고, 전체적이며, 절대적이다. 따라서 감정은 위험한 것으로 간주된다. 감정의 전염성 있는 호소력은 정치적으로 매우 강력한 수단이 되기도 하는데 감정을 가장 잘 조종하는 자가 전폭적인 지지를 얻는 경우가 많다. 철학이 감정에 도전하는 마음도 이해할 수 있다. 맹목적인 감정에 대해 꼬치꼬치 따져 묻고, 너무 노골적인 유혹에는 비웃음을 날리는 이성은 일종의 치료약 구실을 하기도 한다. 감정을 배제하는 것은 위대한 철학자들의 위생학^{hygiène}이었다. 일테면 잠재적인 독성으로부터 스스로를 보호하는 방법이었다. 이해할 수 있는 일이다. 더욱이 무기라고는 오직 소수만이 다룰 줄 아는 논법이 전부인 만큼 아무리 조심해도 지나치지 않을 것이다.

그러나 감정 없이는 삶도 없으며 그 흔적도 없다. 이론만이 군림한다. 이론은 전진하고, 지배하고, 정복한다. 이론은 이제 오직 자신 속에서만 영양을 섭취하고 자신의 성공에만 감탄할 것이다. 고전 철학이 그랬다. 바로 궁전의 철학이다. 다만 철학자가 진정한 다름^{altérité}을 만난다면, 다시 말해 자신과 다르게 말하는 사람, 독특한 예술 작품, 예기치 못한 일과 조우한다면 다시금 감정의 틈입을 허용하게 될 수도 있다. 삶과 이론의 게임은 이 과정 없이 이루어질 수 없다. 문을 열고 다른 것을 받아들인 철학자들이 있다. 얀켈레비치의 음악, 오르테가이가세트의 그림, 플로티노스의 엑스타시, 파스칼의 불안, 몽테뉴의 내면성, 베르그송의 마지막 글들 속에 묘사된, 불가피하게 도래할 전쟁 등, 이 모든 것을 우리는 그들의 글을 통해, 그들이 이야기하는 체험과 그들이 제시하는 비전을 통해 경험한다.

이쯤 되면 문학과 별반 다르지 않다고 말할 수도 있을 것이다. 그러나 하나의 분과가 정점에 도달하면 비슷한 수준의 이웃 분과들과 서로 겹치는 부분이 생기기 마련이다. 철학은 때로 문학으로 변형된다. 철학은 하나의 비전을 제시한다. 철학은 자신만의 스타일을 통해 목소리를 내며 육체를 소유한 듯한 인상을 준다. 그곳이 정점이다. 삶과 이론이 너무도 잘 융합하여 더 이상 어느 쪽이 먼저고 어느 쪽이 나중인지를 구분할 수 없게 되고 각자의 가장 귀중한 부분을 합쳐 하나의 결과를 만들어 낼 때, 둘의 만남은 궁극에 이르게 된다. 즉, 삶의 감정과 이론의 명석함이 하나가 되는 것이다. 독서의 위대한 순간, 철학의 위대한 순간이다. 동시에 이 순간은 더 이상 독서도 철학도 아니다. 하나의 삶이 자신을 드러내고, 자신을 사유하고, 자신의 가장 소중한 부분을 끄집어내어 보편화함으로써 모두와 공유하는 순간이다. 얀켈레비치는 어떻게 음악이 세계에 대한 자신의 인식을 변형시켰는지에 대해 이야기한다. 베르그송은 기계의 힘과 신비주의적 열망의 치명적인 충돌을 예감한다. 삶은 이런 이론들 속에서 더 위대해 보인다. 평상시처럼 아무 말도 할 수 없는 상태, 방치된 상태로 있었다면 삶은 이렇듯 흥미롭지 않았을 것이며 감정에 의해 이토록 잘 표현되지도 않았을 것이다. 여전히 이것을 철학이라고 말할 수 있을까? 아무래도 상관없다. 인간의 모든 위대한 업적은 틀을 넘어서며 순수한 만남 그 자체가 된다.

내가 철학에서 찾는 것은 대충 이런 것들이다. 하지만 아직 시작에 불과하다.

2. 현존하는 학문 분과에 대한 추도사

어떤 학문 분과도 생전에 이처럼 자주 사망자 명부에
오르지 못했다. 사람들은 이미 천 번이 넘도록 철학에
추도사를 지어 바쳤다. 그러나 참으로 이율배반적이
게도 철학은 매번 다시 일어났다. 나는 철학에 등을
돌리기보다, 물론 그 편이 더 현명할지도 모르지만,
그 속에서 무언가를 찾는 일을 계속하고자 한다. 그
러기 위해서는 확실한 이유가 필요하다.

21세기에 철학을 이야기하는 게 낯설게 느껴진다. 이 학문 분
과가 아직도 살아 있단 말인가? 오래전부터 철학이 제기해
오던 질문들을 과학이 대신 묻고 답해 주는 지금, 이 시대만
큼 철학이 낡고 무용해 보이던 때가 또 있었을까? 내가 철학
에서 무엇을 찾는지조차 명확하게 말할 수 없는 마당에 계속
해서 철학을 공부하는 것은 시간 낭비가 아닐까?
　나는 이 질문들에 대해 만족스러운 답을 갖고 있지 않다.
철학의 죽음이라는 문제는 오래전부터 내 머리 속을 괴롭혀
왔다. 놀라운 것은 철학이라는 학문 분과가 쓸데없다고 말
하면 화를 내는 사상가들이 있다는 사실이다. 이들에게는 철

학의 종말이라는 문제가 이미 처음부터 철학의 역사 속에 도사리고 있었음을 상기시켜 줄 필요가 있다.

철학은 탄생과 거의 동시에 죽음을 맞았다. 소크라테스가 살았던 시대의 사람들은 모두 철학에 적대적이었다. 한가하거나 호기심 많은 몇몇 친구나 애인들만이 소크라테스에게 귀를 기울였다. 철학은 그 창시자를 처형하라는 말이 나올 정도로 만장일치의 반대에 부딪혔다. 물론 순교자를 기리고 플라톤을 본받아 성인전聖人傳 작가로서의 소명을 다할 수도 있을 것이다. 철학을 둘러싼 이 최초의 에피소드는 한 학문 분과가 탄생하자마자 곧바로 고발당하고 창시자가 처형당하는 시련에 부딪히는 모습을 보여 준다. 소크라테스는 동시대인들에게 그가 철학에서 찾고자 하는 것이 그들에게도 흥미로울 수 있다는 사실을 설명하는 데 실패했다. 그리고 비싼 대가를 치러야 했다.

소크라테스가 옳았고 다른 사람들은 모두 틀렸으며 바로 그 때문에 사람들이 그를 못마땅하게 여겼다고 주장할 수도 있다. 이는 철학자들 사이에 가장 널리 퍼진 해석으로서 철학자로 하여금 다른 모든 이들이 틀려도 자신은 옳을 수 있다는 생각을 갖게 했다. 철학이 사회에 얼마나 유용한 것인지 설득하지 못하는 무능함은 단점이 아니라 장점으로 간주되어야 한다. 그 무능이 시초에 철학이 감내했던 희생과 소외를 반복하기 때문이다.

어떤 식의 입장을 취하든 간에—고백컨대, 내 경우는 상당히 중립적인 입장에 가깝다—철학의 죽음에 대한 이야기에 화를 내는 사람들을 이해하기는 쉽지 않다. 철학의 취약함은 그 자체로 철학사의 일부를 이루며 자신의 모습을 드러내는 방식이었다. 내게 놀라운 것은 철학의 죽음이 아니라 오히려 철학의 지속적인 생존이다.

철학이 아직도 사라지지 않았다는 사실은 우리에게 풍부한 성찰의 주제가 된다. 어쩌면 철학이 끈덕지게 생존해 온 이유 속에 '내가 철학에서 찾고자 하는 것이 무엇인가'라는 질문에 대한 실마리가 숨어 있을지도 모른다. 그 지속적인 생존이 얼마나 대단한 것인지를 따져 볼 필요가 있다. 정해진 교리dogme 없이 한 지식 분과가 26세기 동안 지속되어 온 것을 생각하면 현기증이 날 지경이다. 26세기 동안 기억을 보존하고, 계보를 만들고, 논쟁을 벌여 왔다는 것은 엄청난 일이다. 철학이 오늘날까지 생존하고 있는 것이 오히려 예외적인 일이다. 철학이 중간에서 사라지거나 창시된 당시의 기억을 지우고 새로운 모습으로 변신했더라면 더 납득하기가 쉬웠을 것이다. 그러나 철학의 기원과 관련한 문제에 대해 철학자들은 여전히 매년 수백 편의 논문과 책을 내고 있다. 수많은 연구자들에게 고대 철학자 아리스토텔레스는 여전히 동시대인과 같은 존재로 대접받는다.

철학이라는 학문 분과는 도중에 사라질 천 가지 이상의 이유가 있었음에도 여전히 건재하다. 그 천 가지 이유 중 몇 가지만 살펴보도록 하자. 철학의 허약함을 더 잘 이해함으로써 어쩌면 역으로 철학의 힘과 장수의 비결을 찾아낼 수도 있을 것이다.

철학의 허약함에 가장 큰 책임을 져야 할 사람은 당연히 철학자들 자신이다. 그들은 유쾌하게 철학 체계 전체를 뒤흔드는 음모를 꾸며 왔다. 그들은 무엇을 대상으로 삼을 것인지에 대해서조차 합의에 이르지 못했다. '철학'이라는 용어 속에는 과학에 대한 관심, 신비주의적 탐색, 이론의 구축, 신앙의 파괴, 지혜, 예언 외에도 수많은 욕망들이 포함될 수 있다. 어떤 이들은 존재를 연구하고 다른 이들은 무無를 연구한다. 진리, 권력, 신, 사랑, 죽음, 섹스 등이 번갈아 가며 철학적 관심의 중심을 차지했다. 이 주제들은 하나의 사상 체계, 하나의 윤리학을 배태한 악시스 문디Axis Mundi, 세계의 중심, 현자의 돌Pierre philosophale4, 생각의 씨앗이었다. 그러나 이 선택받은 주제들은 어느 순간엔가 모두 지위를 상실하고 말았다. 새로운 왕위 계승자가 등장하자마자 왕좌에서 쫓겨난 이들은 대문자大文字와 특권을 박탈당했다. 각 사상들은 번영과 몰락의 시기를 경험했다. 철학만큼 다원적이고 대립적인 명제들로 가득한 학문 분과는 없다. 철학만큼 이질적이고, 다양하고, 부조화한 분과는 없다. 그럼에도 철학은 여전히 건재하다.

---

4 값싼 금속을 황금으로 바꿀 수 있는 물질이 있다고 믿은 중세의 연금술사들이 그 물질에 붙인 이름으로 '철학자의 돌'이라고도 한다.

어떤 분과도 철학만큼 다양한 방법론^{méthode}을 동원하지는 못한다. 이성을 통한 인식은 훌륭한 증거들을 바탕으로 초반부터 특권적 지위를 차지했다. 그러나 곧바로 그에 필적하는 근거들을 내세운 경험이 등장하여 이성을 자리에서 몰아냈다. 같은 방식으로, 그때까지 불확실하고, 여성적이며, 종교적이라는 이유로 과소평가되었던 직관이 등장했다. 스피노자와 후설은 과학에서 사용하는 연역법을 선망했다. 그들은 이를 통해 철학을 확실성의 모델로 정초하고자 했다. 그러나 그들의 책이 인쇄되기가 무섭게 일부 사람들은 벌써 그들의 불가능한 탐색에 대해 고개를 갸웃거리며 난색을 표했다. 예술, 정치, 경제의 영향도 빼놓을 수 없다. 철학에 대한 이들의 영향은 생각하고 느끼는 방식에 변화를 가져왔다. 회의주의자들은 결과를 기대하지 않고 철학을 계속했으며 제자들을 가르칠 때도 철학적 견해들의 하찮음을 군이 숨기려 하지 않았다. 백 가지의 방법론을 가졌다는 것은 곧 고유한 방법론이 없다는 것이나 마찬가지이다. 이런 이유 때문에 철학은 허약하고, 불확실하며, 쓸데없어 보이는 것이다. 그러나 마치 이런 불협화음을 비웃기라도 하듯 철학은 여전히 건재하다.

어떤 분과도 철학만큼 많은 언어를 구사하지 못한다. 철학의 어휘는 끊임없이 재정의된다. 특정한 어휘는 각 철학자가 그것을 다룰 때마다 새로운 의미로 변형된다. 명료한 글쓰기는 여름날 아침 하늘처럼 새로운 생각들을 투명하게 드러내는 힘을 갖는다. 그러나 철학자 자신만 이해할 수 있을 것 같은 스타일도 있다. 이런 책들을 읽는 것은 걸어서 사막을 횡단하는 것만큼이나 힘겨운 일이다. 난해함 자체를 즐기는 철학은 결코 정당화될 수 없다. 어떤 종류의 생각들은 언어를 비틀고 훼손하지 않고는 제대로 전달할 수 없다는 식의 주장은 이미 전향한 신봉자들 혹은 유행을 추종하는 이들만을 설득할 수 있을 뿐이다. 한 예로, 이따금 언어를 재발명하려는 의도를 드러냈던 하이데거는 철학을 몇몇 입문자에게만 접근 가능한 어렵고 불가사의한 것으로 만들어 버렸다. 그러나 기술에 대한 그의 생각들은 모르몬 교도의 입에서나 나올 법한 이야기와 흡사했다. 그의 문체가 영감으로 가득 차 있다고 해서 몇몇 견해 속에 담긴 보수주의적 관점을 숨길 수는 없었다. 하이데거뿐만이 아니다. 몇몇 철학자들은 철학을 불투명한 것으로 만들어 버렸다. 그러나 철학은 그렇게 쉽게 무너지지 않았다. 철학은 그것을 변질시키려는 시도에도 끄떡없이 새로운 백년을 향해 나아가고 있다. 철학은 여전히 건재하다.

광기에 대해서도 이야기해야 할 것 같다. 숨기지 말고 솔직하게 말하자. 파스칼은 "미치지 않으려는 필사적인 노력 자체도 하나의 광기일지 모른다"[5]고 말했다. 물론 그럴 수 있다. 그러나 철학의 영역에서 명철함, 광기, 애매모호함을

---

5 미셸 푸코는 《광기의 역사》 서문에서 이 구절을 인용했다.

넘나드는 일은 매우 자주 일어난다. 소크라테스는 다이몬 Daimon의 소리를 들었고, 플로티노스는 엑스타시를 경험했다. 니체는 신경 발작을 일으켰다. 루소는 건강 염려증 hypocondria 환자였다. 칸트는 규칙에 엄격했으며 비트겐슈타인의 눈빛은 기묘한 섬광으로 번뜩였다. 정신적 고통을 겪던 시몽동은 생탄의 한 정신병원에 수용되었다. 알튀세르도 같은 시기, 같은 병원에서 치료 받았다. 어떤 철학자들은 이성의 가능성을 확장하여 아무도 가본 적 없는 야생의 영토에 도달하기도 했다. 술과 마약은 오늘은 보조제이지만 내일은 독이 될 수 있다. 철학은 운명적으로 광기와 연결되어 있다. 그래서 가까이 하면 안 되는 유령, 혹은 피해야 할 위험 같은 것으로 간주되기도 한다. 앞으로도 우리는 철학은 치료가 필요한 미친 사람들이나 하는 짓이라며 빈정대는 소리를 자주 듣게 될 것이다. 그들의 비웃음 속에는 일종의 공포심이 숨어 있다. 어쨌든 철학은 이성과 비이성 사이에 난 길을 계속 간다. 철학은 여전히 건재하다.

한편, 거만함으로 가득 찬 철학의 제국주의에 대해 침묵하고 넘어갈 수는 없다. 철학 역시 야만을 경험했다. 철학이 추방과 배제에 열을 올리던 때도 있었다. 자신의 제국을 건설하고 그 위에 권력을 구축하기 위해 자신과 다르게 생각하는 이들을 쫓아냈던 것이다. 추방의 역사는 길다. 시인들을 국경 밖으로 쫓아내고, 여성들을 사유思惟에서 배제하고, 원주민들에게서 영혼을 빼앗고, 이교도들을 화형에 처하고, 신앙이 없는 이들을 비난하고, 유대인들을 고발하고, 기술자들을 경멸하고, 과학자들을 무시하고, 심리학자들을 보며 한숨을 짓거나, 기도하는 이들 혹은 의심하는 이들, 특정 후보에 투표하거나 지지를 보내는 이들을 배척했다. 이를테면 볼테르의 《관용론*Traité de la tolérance*》은 인기 있는 고전의 반열에 오르지 못했다.

철학자는 자주 자신과 닮은 것들로만 자신의 세계를 채우고 이질적인 것들은 배척한다. 도스토옙스키는 시베리아에서 유형 생활을 하던 중 헤겔을 공부했다고 한다. 그리고 어느 날 자신이 생존을 위해 몸부림치던 그 장소가 헤겔이 말한 이성의 왕국에 속하지 않는다는 사실을 깨달았다. 그곳은 철학이 지배하는 영토의 바깥에 존재하는 무無였던 것이다. 그날 도스토옙스키는 눈물을 흘리며 탄식했다고 한다. 자신이 갇혀 있다는 사실 때문이 아니라, 그토록 존경하는 철학자가 역사도 이성도 없는 장소라고 선언한 곳에 동떨어져 갇힌 채로 고통 받고 있다는 사실 때문이었다. 즉, 자신의 고통이 무의미하고 부조리하다는 것을 깨달은 것이다. 그 후 도스토옙스키는 재기에 성공했다. 그는 소위 이성적이라고 자칭하는 세계 혹은 문화의 영토로 복귀했다. 그러나 다른 이들은 그곳에 남았다. 그들은 영원히 이성의 친구들로부터 잊히게 될 터였다. 이처럼 철학은 더러운 손을 가지고 있다. 그럼에도 우리는 이 아름다운 죄인을 용서하고 욕망하기를 멈추지 않는다. 철학은 여전히 건재하다. 자칫하다가 철학은 더 큰 오만에 빠질 뻔 했다.

마지막으로 싸구려 삼류 작가들, 성상^{聖像}을 운반하는 당나귀[6], 무늬만 철학자인 사람들에 대해 몇 마디 해야겠다. 이런 이들은 수없이 많다. 어떤 분야에나 돌팔이는 있는 법이다. 철학은 특히 그렇다. 강한 자성에 이끌리듯, 나방이 램프 불빛에 이끌리듯 사기꾼들이 몰려오는 것이다. 철학은 증명을 강요받지 않고도 무엇인가를 주장할 수 있기 때문일까? 진부한 영혼과 보잘것없는 육체로 삶을 조금 맛본 주제에 애매모호한 논증을 이용해서 그럴듯하게 인생을 논하는 게 철학에서는 가능하기 때문일까? 출세 지상주의를 추구하는 것이 지혜를 탐구하는 것보다 얻는 게 더 많아서일까? 그럴 수도 있을 것이다. 이는 우선 교육적 차원에서 안타까운 일이며 해결 방법을 찾아야 한다. 그러나 사기꾼들이 철학을 팔아먹거나 말거나 철학은 제 갈 길을 묵묵히 갈 뿐이다. 철학은 여전히 건재하다.

이 외에도 할 말은 얼마든지 많다. 그러나 위에서 언급한 각각의 비판이 제기될 때마다 상당수의 논자들은 철학이 쇠퇴를 거듭하다가 막다른 골목에 다다랐다면서 철학의 죽음과 불가능성을 선언했다. 어떤 학문 분과도 생전에 이처럼 자주 사망자 명부에 오르지 못했다. 사람들은 이미 천 번이

---

[6] 성상을 옮기던 당나귀가 행인들이 자신을 향해 고개 숙여 인사한다고 착각하고 우쭐대다가 주인에게 채찍을 맞았다는 우화에서 나온 말이다.

넘도록 철학에 추도사를 지어 바쳤다. 그러나 참으로 이율배
반적이게도 철학은 매번 다시 일어났다. 나는 철학에 등을
돌리기보다, 물론 그 편이 더 현명할지도 모르지만, 그 속에
서 무언가를 찾는 일을 계속하고자 한다. 그러기 위해서는
확실한 이유가 필요하다.

3. 이해하고, 사로잡히고, 공모하기

나는 정신의 처녀성을 믿지 않는다. 철학자들의 머릿
속이 유명한 유령들로 꽉 차 있다고 말하며 놀려대는
이들은 너무도 많지만, 훌륭한 인물들과 결연을 맺고
자 하는 그들의 바람이 잘못된 선택이라고 확신할 근
거는 없다. 이를테면 올더스 헉슬리와 함께 다시 태어
나고자 하는 사람이 있다면 그는 명석함 하나는 확실
히 보장받을 수 있을 것이다.

만남이야말로 철학에서 흥미로운 것이다. 수많은 비난에 시
달리는 이 모호한 실체를 붙들고 시간을 보내는 것이 무슨 의
미가 있을까 자문해 볼 수도 있다. 그러나 일종의 공모 관계
가 자리 잡기 시작한다. 이런 관계는 별것 아닌 것처럼 보일
수도 있다. 철학을 단념하는 편이 더 낫다고 생각하게 만드
는 확실한 이유들에 비한다면 이런 만남은 별로 중요해 보이
지 않는다. 그러나 만남은 모든 것을 변화시킨다. 철학적 우
정은 내가 철학에 대해 품고 있는 불신감을 모두 잊게 해준다.
　따라서 일관성을 유지하면서 만남을 사유 활동의 중심에
놓아야 한다. 나를 이끄는 것은 진리의 추구도 아니요, 가능

한 많은 종류의 이론들을 접하고자 하는 욕망도 아니다. 이처럼 지나치게 추상적인 탐구는 내 삶에 영양분을 주지 못한다. 반면, 하나의 반향^{résonance}을 발견하는 일은 언제나 놀라움을 준다. 공모자를 만나는 것은 드문 일이다. 벌떼 같은 인간의 무리 속에서 우리 각자는 자기의 일을 하기에도 바쁘다. 그러나 그 속에서 하나의 지적 교류가 탄생하는 순간 붕붕거리는 벌떼의 울음소리는 잦아들기 시작한다.

사람들은 학파, 당파, 파벌 등에 대해 말한다. 특정 독트린을 중심으로 규합한 이들의 존재는 사회적으로 중요하다. 그러나 철학은 좀 더 개인적인 차원을 지닌다. 공모한다는 것은 세계관, 성격, 스타일의 문제이므로 부분적으로만 설명이 가능하다. 두 개인이 강하게 결합된 모든 관계가 그렇듯 철학적 공모 관계 역시 일종의 친화력을 바탕으로 맺어진다. 보편적인 것을 추구하는 학문 분과에서 이처럼 주관적이고 감정적인 차원을 논하는 것은 모순이라고 생각하는 이들도 있을 것이다. 그러나 내겐 오히려 반대로, 이것이 철학의 근본적인 차원으로 보인다.

우선은 나를 변화시킨 철학자들이 나와 동행한다. 위대한 철학자들 중에는 내게 아무런 영향도 미치지 못한 이들도 많다. 그들 중 누군가가 내 사유의 구조를 뒤흔들어 놓거나 존재하고 느끼고 생각하는 방식을 개혁하거나 변화시키지 못했을 경우, 나는 우리의 만남이 좋은 타이밍에 이루어지지 못했거나 내가 받아들일 준비가 안 되었거나 그도 아니면 나와 그가 어울리는 사이가 아니라고 생각하게 된다. 이를테면 아리스토텔레스는 내게 어떤 변화도 불러일으키지 못했다. 라이프니츠의 탁월한 사상 역시 내 안에 별 흔적을 남기지 못했다. 반면, 이들보다 덜 유명한 철학자들이 내게 더 큰 영향을 미친 경우는 많다. 철학적 만남은 기존의 위계질서대로 이루어지지 않는다.

한 철학과의 만남은 어떤 결과를 낳는가? 그 만남은 어떤 과정을 거쳐 어떤 영향을 미치는가? 내가 아직 시몽동을 발견하지 못했던 해의 1월 1일과, 그의 책을 처음으로 읽고 난 이듬해의 1월 1일 사이에 무슨 변화가 있었을까? 그때 이후로 내면의 한 목소리가 자신의 방식으로 세상을 관찰하고 고찰하기 시작했다. 마치 아직 친구인지 적인지조차 모르는 누군가가 나를 따라다니며 세계를 해석하고, 중요한 것들을 가려내고, 때로는 나를 조소하거나 나와 어긋나기도 하면서 내 생활에 동참하는 것 같았다. 마치 단편적으로 들려오는 화면 밖 목소리off screen voice처럼. 한마디로 나는 사로잡힌 것possession이었다. 철학을 공부하는 이들은 다른 철학자들에게 사로잡힌 존재들이다. 이 정도의 만남이 되지 못하면 관계는 더 멀리까지 진척되지 못한다. 일종의 동거 관계가 자리잡아야 하는 것이다.

철학과 관계를 맺는 과정은 이해하고, 사로잡히고, 공모하는 세 단계로 구분할 수 있다.

만남은 주로 우리가 스스로의 주관성을 상실할 때 이루어진다. 나는 지워진다. 이는 상대의 맥을 짚는 행위, 상대를 이해하려는 노력이다. 만남을 원치 않거나 자신을 보호하기 위해 상대를 피하는 경우를 제외한다면, 낯선 사유가 내 속으로 들어오도록 내버려 둔다. 이를테면 시몽동이 내 속으로 스며든다. 한 철학자의 사유가 가장 놀랍게 느껴질 때는 그의 저서를 처음 접하는 순간이다. 그 철학자의 영토 내부를 알지 못한 채 우선 표면을 발견한다. 각 문장들의 의미를 정확하게 파악한다고 해도 전체적으로 그의 사상을 조망하기엔 아직 이르다. 그가 무엇에 천착하는지 모르기 때문에 앞으로 반복해서 접하게 될 것을 미리 예상할 수는 없다. 다만 그가 무엇을 생각하는지, 어떻게 생각하는지를 알아볼 뿐 판단하기엔 너무 이르다. 마음속을 스치는 예감들, 그 예감을 더욱 강화해 주는 감정들이 있을지는 모르지만, 이 단계에서는 아직 어떤 논증에 의해서도 뒷받침되지 않는다. 타자의 목소리가 말을 한다. 책장이 넘어간다. 그의 목소리가 내 속으로 스며든다.

이 모든 일들이 상당히 거칠게 진행되는 경우도 있다. 모든 만남이 예비 단계를 거치는 것은 아니다. 의자에 엉덩이를 붙이기도 전에 곧바로 본론부터 꺼내는 이들도 있다. 사실상 저자는 우리를 초대한 주인과 같다. 교양 있는 주인이라면 날씨 얘기나 친근한 인사말로 당신을 맞이하며 조명이 너무 밝지는 않은지 묻거나 와인 한 잔을 권할 것이다. 그는 우아함을 잃지 않은 채 당신이 눈치 채지 못하는 사이에 슬며시 이야기를 진전시켜 나갈 것이다. 날씨 얘기를 하고 있던 당신은 어느덧 영혼의 불멸성에 관한 그의 독백 한가운데에 들어와 있음을 깨닫게 된다. 플라톤도 그런 유의 저자이다. 그는 처음에는 적당한 말로 둘러대다가 부탁하지도 않은 이론들을 한꺼번에 안겨 주어 독자들을 당황시킨다.

어떤 철학자들은 지체 없이 곧장 질러간다. 파스칼은 곧바로 자신의 세계 한복판으로 독자들을 데리고 간다. 마치 오래전부터 속 얘기를 주고받던 친구라도 된 양 말이다. 그에게는 자신의 불안은 곧 당신의 불안이요, 자신의 고뇌는 곧 당신의 고뇌이다. 그의 신神을 당신 역시 알아야만 한다. 파스칼을 읽는다는 것은 고백을 엿듣는 것과 같다. 당신은 미친 듯이 희망을 갈구하는 한 절망의 고백을 듣는다. 적절하지 못한 순간에 참견하거나 서투른 위로를 건네지 않기 위해서는 상당한 자제심이 필요하다. 누구도 결코 파스칼을 위로하지는 못할 것이다. 우주의 무시무시한 침묵 앞에 놓인 존재가 당신 혼자만이 아니라는 식의 설득을 할 작정이라면 단념하는 편이 좋다. 그의 한탄을 들어주는 것으로 충분하다. 파스칼의 참신한 언어가 간단한 단어들의 관습적 의미를 전복함으로써 심오한 사유에 도달하는 모습을 지켜보는 것이 우리가 할 수 있는 최선이다. 이는 영원히 잊을 수 없는 만남이다.

이처럼 우리는 수용과 이해를 통해 철학자와 처음으로 만난다. 이제 그 타자는 존재하기 시작한다. 몸과 목소리를 가진 존재가 되는 것이다. 사로잡힘이라는 두 번째 단계가 시작되는 것은 이 시점이다. 이 단계는 예기치 않은 순간에 갑자기 시작된다. 마치 철학자가 독자의 열정과 관심을 틈타 독자의 마음속에 자리를 잡고 들어앉는 것과도 같다. 타인의 정신 속에 동승하는 것이다. 그리하여 그 철학자는 자신과 무관한 사유와 결합하고 자신이 살지 않는 시대의 세계관을 변형시킨다. 그는 독자의 내적인 독백에 기생하면서 새로운 이론의 탄생을 자극하고 새로운 태도를 창출한다. 그는 낯선 손님이지만 허락 없이 들어온 불법 침입자는 아니다. 그래도 낯선 목소리가 내 독백에 말대꾸를 한다면 어떨지 한 번 상상해 보라.

이런 일들은 실제로 벌어진다. 이를테면 니체의 저서를 오랫동안 탐독하며 그의 철학에 대해 성찰하고 그 개념들을 조금씩 내면화하는 동안 니체가 우리의 사유 중간에 끼어들어 참견하는 소리를 듣지 않는다는 게 가능할까? 그것은 기억 속에 남아 있다가 갑자기 떠오르는 문장 하나, 우리 자신의 것이라고 말하기 힘든 빈정거리는 웃음소리 같은 것이다. 그런 식으로 그는 무례하게 참견한다. 유치한 행동을 보았을 때 내면에서 니체의 목소리가 들려온다. '그게 바로 내가 얘기한 치졸한 이기심이라오.' 혹은 다음과 같이 말할지도 모른다. '육체가 사유의 출발점이라고 내가 말하지 않았소?' 니체는 의심에 사로잡힌 당신에게 다음과 같이 속삭일지도 모른다. '당신 자신이 되시오!' 누군가가 우리 속에서 말을 한다. 주저 없이 말하는 그는 바로 니체이다. 사로잡힘이라는 말 말고는 달리 표현할 길이 없다. 우리는 선택의 기로에 놓인다. 사유가 정지하는 순간이 온다. 사유는 그 사유를 떠받쳐 주던 말들을 넘어서 자신을 더 이상 표현하지 못한다. 그러나 위대한 사유는 자신을 운반하는 말들을 넘어서는 잠재적인 활동 능력을 지니고 있다고 나는 믿는다. 위대한 사유는 독자의 내면 세계에 언어를 부여하고 그의 정신적 우주 속에 자리를 잡는다. 그렇게 사유는 활동을 재개한다. 니체의 사유는 그의 동조자들의 성찰 속에서 활동을 계속한다. 철학자들이 때때로 무언가에 사로잡혀 있는 듯 보이는 것은 그들의 내면에 살고 있는 상상 속 인물과 대화를 나누고 있기 때문은 아닐까?

모든 열정은 우리 안에 질문을 불러일으키며 모든 사로잡힘은 우리를 더 명석한 통찰력으로 이끈다. 사로잡힘은 철학자가 되기 위해 반드시 거쳐야 하는 단계이지만 위험도 따른다. 너무도 강하게 사로잡힌 나머지 개성을 잃고 자신이 존경하는 철학자의 단순한 패러디가 되어 버릴 수도 있다. 한 예로, 나는 들뢰즈의 클론들을 본 적이 있다. 특히 지난 십여 년간 수없이 목격했다. 그들은 들뢰즈가 입던 것과 비슷한 바지와 스웨터를 걸치고 있었다. 그들은 자신들의 실제 목소리보다 조금 더 콧소리를 내며 말했다. 그들은 생각에 잠길 때면 오른손으로 턱을 받쳤고, 말을 할 때는 마치 클레르 파르네[7]가 관능적인 목소리로 던진 질문에 대답하는 듯한 인상을 풍겼다. 그런 태도로 그들은 탈영토화, 리좀, 욕망하는 기계 등에 대한 말들을 늘어놓았다. 그들은 마치 지금 막 자신들이 그 사실을 발견한 듯이 철학은 개념을 창조하는 기술이라고 말했다. 그들은 아침부터 저녁까지 들뢰즈처럼 굴었다. 나는 그런 사람들을 잘 안다. 나 또한 그랬던 적이 있으니까. 그들은 책 하단 각주에 실린 책들을, 사소한 것들까지 모두 구해 읽었으며 고다르와 파솔리니의 영화들을 빠짐없이 찾아 보았다. 어쨌든 취향은 고급이었던 셈이다. 그들의 표정 속에서 마치 새벽까지 카페에 앉아 토론에 열중하곤 했던 들뢰즈를 보는 듯 했다. 그러나 그들은 사로잡힘이 자기희생이 될 수도 있음을 알아야 한다. 초대받은 철학자가 그의 내면을 모두 차지해 버리는 것이다. 들뢰즈의 사유가 그의 머릿속을 장악한다. 자신의 의지와는 무관하게 좋아하는 철학자를 영적 지도자처럼 섬기는, 개성을 잃어버린 도제들은 어디에나 있다. 예전에는 들뢰즈 대신에 마르크스들, 니체들, 사르트르들이 있었다. 한 철학자에게 사로잡히는 것은 반드시 거쳐야 할 단계로서, 위험이 따르지만 얻는 것도 있다. 따라서 무의미한 희생을 피할 줄 아는 기술이 무엇보다 필요하다.

그러나 개성을 잃게 되는 극단적인 경우에서조차도 사로잡힘의 경험은 달콤할 수 있다. 이 과정 속에서 우리는 철학

---

7 질 들뢰즈의 제자로 공동 대담집을 펴냈다. 질 들뢰즈, 클레르 파르네 저, 허희정, 전승화 공역, 《디알로그^{Dialogues}》, 동문선, 2005. 참조.

적 선호 대상을 가진 이들이 누릴 수 있는 특권을 가늠해 볼 수 있다. 사로잡힘이 꼭 자유에 반하는 것은 아니다. 모든 개인은 항상 하나의 시스템에 포박되어 있다. 나는 정신의 처녀성을 믿지 않는다. 아직 초보적인 의식을 가진 유아도 이미 문화적인 영향으로부터 자유롭지 못하다. 우리 모두 이데올로기에 포획되어 있는 것이다. 철학자는 자유롭게, 그리고 의식적으로 자신의 정신을 새롭게 구축하는 사람이다. 다시 말해 그는 강요된 시스템을 받아들이기보다 자신이 선택한 사유에 사로잡히는 편을 택한다. 이 선택은 자율적인 행동이다. 그의 선호는 일종의 자유다. 또한 어떤 이들에게는 일종의 위생학일 수도 있다. 기존의 통념에서 벗어나는 것이 그들에게는 필수적인 일이기 때문이다.

사상가, 지식인, 예술가 등에게 몸과 마음을 빼앗기는 것은 참으로 즐거운 경험이 아닐 수 없다. 그들이 점령한 왕국 속에서 초반에 고개를 들이밀던 허약한 싹들은 하나씩 제거된다. 현대 철학에서 매우 중요한 자리를 차지하는 오성의 개혁이라는 주제는 이 맥락 속에서 온전한 의미를 획득한다. 철학을 통해 정신을 개혁한다는 것은 불모와 소외만을 낳는 획일화를 풍요로운 사로잡힘으로 대신한다는 의미이다. 모든 철학적 입문은 이러한 정신적 점령의 과정을 필요로 한다. 철학자들의 머릿속이 유명한 유령들로 꽉 차 있다며 놀려대는 이들은 너무도 많지만, 훌륭한 인물들과 결연을 맺고자 하는 그들의 바람이 잘못된 선택이라고 확신할 근거는 없다. 가령,

올더스 헉슬리와 함께 새로운 삶을 살고자 하는 사람은 최소한 명석함 하나는 확실히 보장받을 수 있을 것이다.

철학의 수용을 위한 세 번째 단계는 공모 관계complicité의 형성이다. 이 관계까지 도달하지 못하는 경우도 물론 존재한다. 사실은 거의 대부분이 그렇다. 하나의 사유를 이해하기 위해 그것과 함께 멀리까지 가보겠다는 욕망이 꼭 필요한 것은 아니다. 그 사유가 내 자신과 맞지 않거나, 나를 막다른 골목으로 이끌 수도 있다. 혹은 자신의 정신적 에너지가 무언가에 예속되는 것을 거부하거나, 그 사유에 사로잡히는 것이 너무 값비싼 희생을 강요한다고 느낄 수도 있다. 한 저자를 존중하기 위해 그의 글에서 반드시 감동을 받을 필요는 없다. 없는 감정을 억지로 불러일으키려고 애쓸 필요는 없다는 말이다. 우리가 어떤 철학을 거부하는 데에는 천 가지 이유가 있을 수 있다.

반면, 첫 만남에서 품었던 기대가 헛된 것이 아닐 경우 이제 공모 관계가 자리 잡기 시작한다. 매혹과 흥분을 자아내던 첫 만남은 이제 먼 과거가 되었다. 더 이상 사로잡히는 일도 없다. 더 이상 그 철학자의 눈으로 세상을 보지 않는다는 말이다. 그의 개념들은 부적으로서의 효험을 잃는다. 그의 이론이 마치 절대적 교리라도 되는 양 감히 이의를 제기하지 못하던 시기도 끝났다. 반대로 이제 우리는 그의 이론을 상대화한다. 우리는 자신의 경험으로 그의 논리를 반박할 수 있음을 알고 미소 짓는다. 그 이론의 한계를 알고 있는 것이다.

관계가 변화한다. 좀 더 현명한 거리를 지키게 되는 것이다. 그럼에도 관계의 필요성은 사라지지 않는다. 이 관계는 철학의 한 구성 요소이다. 완전히 벗어나는 일은 불가능하다. 철학자들은 결국 공모자가 된다. 물론 매일 아침 눈을 뜰 때마다 그 관계를 의식한다는 말은 아니다. 그러나 그들의 철학은 우리의 성찰과 사유의 방식을 근본에서부터 구조화함으로써 우리의 지적 배경을 형성할 뿐 아니라 마치 온밤을 새며 불침번을 서듯 지속적으로 우리의 내면에서 살아간다. 그들은 이제 우리의 공모자가 된다. 다시 말해, 그들과 우리는 공동의 계획을 추진하는 사이가 되는 것이다.

공모 관계는 우리가 철학과 맺을 수 있는 가장 소중한 관계이다. 자유롭다는 게 이 관계의 특성이다. 때로 절대적인 존경심으로까지 발전하여 자기 자신마저 잊게 만드는, 초반의 맹목적인 충성과는 다르다. 이 관계에서는 개인이 다시금 자신의 자리를 되찾는다. 중요한 건 바로 그 개인이다. 사유는 우리 삶에 봉사하는 수단일 뿐이다.

철학자로 살아간다는 것은 철학자로 사는 게 무슨 소용이 있는지 아는 것이다. 다시 말해, 철학자로 사는 것 자체가 목적일 수는 없다는 말이다. 예술을 위한 예술이라는 명제를 고안한 테오필 고티에를 따라 철학을 위한 철학을 주창한다면 용기 있는 소견일 수는 있을지언정 철학이 나아갈 방향 혹은 옹호해야 할 입장을 제시해 주지는 못 할 것이다. 삶, 그리고 삶이 우리에게 강요하는 의무와 부당함을 망각한 사상가만이 그런 명제를 내세울 수 있을 것이다. 그에게 철학은 삶과 사유의 관계를 의미하지 않는다. **코사 멘탈레**^{cosa men-}atle, 즉 순수하게 정신적인 것일 뿐이다.

자신의 공모자를 찾기로 결심한 사람은 단순한 지식인에 머무르지 않는다. 그는 살아 있음에 대한 자각과 자신의 몸과 맺는 관계 속에서 사유가 삶에 복무하는 수단일 뿐이라는 사실을 배운다. 그는 단지 철학만을 하려는 게 아니라 살고자 한다. 살기 위해 철학을 탐구하는 것이다. 그곳이 바로 철학적 우정이 개입하는 지점이다.

철학에 대한 급진적인 자유를 확보해야만 공모 관계가 형성될 수 있다. 이 관계 속에서 우리는 뿌듯함을 경험한다. 판테온에 사는 불멸의 거장들, 서구 지성사의 물줄기를 바꾸어 놓은 드높은 정신의 소유자들을 수시로 만나면서 허물없이 대화를 주고받는 것이다. 그들과 공모 관계를 맺고자 원하는 건 대단한 배짱을 필요로 한다. 하지만 다른 선택의 여지가 없다. 하나의 철학 사상이 존재할 수 있는 것은 상상적인 철학적 공동체가 그것을 지켜 주고 있기 때문이다. 그 공동체를 하나로 묶어 주는, 어쩌면 유일할 수도 있는 협약이 있다. 우리 모두가 실존^{existence}이라는 한 배를 타고 존재^{être}와 무^{néant} 사이를 항해한다는 사실이다. 우리는 그 실존에 대해 조금 더 알고자 한다. 이른바 철학적 협약이며, 철학적 공모 관계의 본질이다.

4. 욕망하는 철학

개념이 이해를 가능케 한다면 욕망은 실현을 촉구한
다. 욕망이 먼저이고 개념은 다음이다. 우리는 그 사
실을 너무 자주 잊는다. 의도는 일반적으로 겉으로
잘 드러나지 않는다. 그러나 추진력을 더하고, 에너
지를 주고, 나아가야 할 방향을 제시하는 것은 바로
의도이다. 욕망 없이 개념은 아무것도 생산하지 못한
다. 개념에는 행동으로 이행하는 힘이 결여되어 있기
때문이다.

공모자들은 함께 무엇을 하는가? 이들은 보통 하나의 계획
을 통해 연결된다. 공동의 목표가 있다는 점에서 친구 관계
와 구별된다. 친구가 되기 위해 공동의 계획이 있어야 하는 것
은 아니다. 때로 한 가지 생각을 공유하는 것만으로도 친구
가 될 수 있다. 우정은 존재의 자연스러운 양식이다. 반면 공
모 관계는 더 적극적인 개념으로서 공동의 계획 속에서 발전
해 나간다.
　철학을 공모 관계로 정의한다면 그 관계가 무엇을 도모하
는지에 대해서도 언급할 필요가 있다. 이는 처음에 제기했던

질문을 수정하기보다는 확장하는 의미가 있다. 나는 처음에 내가 철학에서 찾고 있는 것이 무엇인가라는 질문을 던졌다. 이 질문은 이제 다른 철학자들과 맺는 공모 관계에 대해서도 제기된다. 이들의 지원과 지지를 통해 내가 철학에서 얻고자 하는 것은 무엇인가? 대답은 구체적이어야 한다. 존재, 진리, 절대 등과 같은 대답은 너무 추상적이고 어렵다. 이 개념들은 일면적인 차원에만 속하기 때문에 하나의 삶을 충분히 설명할 수 없다. 이론적인 활동은 여러 가지 측면에서 삶과 대립한다. 니체는 오랫동안 오직 추상抽象에만 몰두하는 사상가들의 금욕주의가 은폐하는 것들을 분석했다. 그는 그들의 태도 속에 삶에 대한 거부와 육체에 대한 경멸이 숨어 있음을 폭로했다.

철학의 열쇠를 쥐고 있는 것은 욕망뿐이다. 내게 철학은 순수한 학문 분과이기보다는 삶의 모든 측면들을 탐구하는 활동이다. 철학은 이해관계를 떠난 객관적인 지식을 추구하는 학문이 아니라 사적인 관심이 깊숙이 반영된 탐구 활동이다. 철학은 쓸데없는 것이며 바로 그 쓸데없음이 특권을 부여한다는 주장에 대해 나는 철학이 매우 유용한 지식이며 그 어떤 지식보다 삶에 봉사할 수 있다고 말하고 싶다.

철학자는 욕망한다. 어쩌면 그게 전부일지도 모른다. 철학자는 목표를 바라보고, 갈망하고, 희망한다. 그는 일테면 관념들의 외교관으로서 특정한 입장을 추구하면서 그 입장의 승리를 위해 일한다. 니체는 철학자를 변호사와 비교하면서 철학적 논증을 변호사의 변론에 비유했다. 나는 철학자를 변호사보다는 외교관에 비유하고 싶다. 변호사는 법을 기준으로 삼는 데 반해 외교관은 상황에 더 의존하기 때문이다. 간디의 자서전 《나의 진실 추구 이야기*My Experiments with Truth*》 앞부분에 이와 관련한 흥미로운 내용이 담겨 있다. 간디는 변호사로서의 자신의 능력을 어떻게 외교관적 실천으로 변형시켰는지 이야기한다. 결과적으로 그의 변호사로서의 자질과 외교관으로서의 자질은 두 가지 모두 구체적으로 특정 입장을 방어한다는 목표를 공유한다. 이는 철학자에게도 해당된다.

모든 탐구에 있어서 자신의 내적 필요를 인식하고 탐구 활동으로 자신을 이끄는 동기를 분석하는 것은 매우 중요하다. 우리에게 동기를 부여하는 것은 우리 자신이다. 때로 심리적 방어기제에 의해 은폐되거나 시스템에 의해 억압되기도 하지만 내밀한 필요는 언제나 존재하기 마련이다. 인간의 행위에는 항상 동기가 따른다. 도처에 욕망이 도사리고 있다.

철학자들은 욕망의 지배를 피할 수 없다. 심신이원론心身二元論은 철학에는 욕망도 쾌락도 없다는 잘못된 견해를 주장했다. 이 독트린에 따르면 행동을 이끄는 이 두 가지 축은 오직 육체만을 움직일 수 있으며 정신은 이들의 영향에서 자유로울 수 있다. 그러나 심신이원론을 환원주의라고 비판하는 것과 같은 이유에서 이 주장의 잘못을 지적할 수 있다. 인간은 분리될 수 없는 전체이다. 영혼의 기쁨과 그것을 낳는 욕망은 지적인 활동뿐 아니라 다른 모든 활동의 중심이 된다.

가장 고상한 즐거움이 때로는 가장 절실한 욕구일 수도 있는 것이다.

그렇다면 철학자는 무엇을 욕망하는가? 돈, 권력, 명예, 매력? 어떤 철학자들은 이런 것들을 갈망한다. 지적 재능이나 수사학이 주는 매력은 성공을 위한 좋은 수단이 될 수도 있다. 역사는 이런 매력이 철학을 수단으로 삼아 정복하고 지배하고자 하는 이들에게 매우 유용하다는 것을 가르쳐 준다. 그러나 이것들을 너무 과신해서는 안 된다. 만인의 지지를 얻기는커녕 비웃음을 살 수도 있기 때문이다. 사실상 정복과 지배가 목표라면 철학보다 좋은 수단은 얼마든지 있다.

그렇다면 철학의 고유한 욕망은 무엇일까? 개념의 창조일까? 철학자들은 예술가들이 작품을 창작하기를 원하듯이 개념을 생산하기를 욕망하는 것일까? 확실하지 않다. 철학에 있어서 개념은 근본적이다. 개념은 철학의 구성적 요소이다. 그러나 개념만으로는 철학이라는 학문 분과에 전념하는 이들이 찾고자 하는 바를 설명할 수 없다. 들뢰즈와 가타리가 보여 주었듯이, 개념은 철학의 중심이다. 그러나 개념은 또한 수단일 뿐이라는 사실을 잊지 말아야 한다. 온갖 멋진 개념들을 소유하고 있다고 할지라도 그것들을 통해 찾고자 하는 바가 무엇인지 모른다면 별 소용이 없다. 철학자에게 개념은 화가의 색, 작가의 문장과 같다. 즉 공을 들여야 하는 대상, 열정을 쏟아 붓는 재료인 것이다. 화가는 색을 통해 예술적 표현과 미학적 감성을 추구한다. 작가는 문장을 통해 시詩,

이야기, 언어적 운율을 창조한다. 모든 표현 수단들은 특정 욕망을 실현하기 위한 도구가 된다.

마찬가지로 철학 역시 하나의 목적, 정확히 말해 일련의 목적들을 실현하기 위해 개념을 창조한다. 나는 이 목적들을 다음과 같이 명명하고자 한다. 해명하다, 해방하다, 자신을 인식하다, 전달하다, 탐색하다, 변형하다, 기쁨을 주다. 이 과정들은 그 자체가 목적이라는 점에서 본원적인 욕망에 속한다. 철학자는 해방한다. 해방하기를 원하기 때문이다. 철학자는 변형한다. 변형하기를 욕망하기 때문이다. 자신을 이해하고, 무언가를 해명하는 과정 역시 마찬가지이다. 이 근본적인 동기들은 더 상위에 있는 목적을 실현하기 위한 수단이 아니다. 개념은 수단이지만 이 동기들은 그 자체로 목적이다.

이제 개념에서 욕망으로, 수단에서 목적으로 시선을 돌려야 할 차례이다. 이는 항상 하나의 활동을 촉발한다. 자유의 개념만으로 누군가를 해방할 수는 없다. 한 예로, 프랑스와 유럽의 해방에 일부분 기여한 볼테르를 들 수 있다. 그의 개념들만으로 그가 거둔 승리를 설명하는 것은 불가능하다. 그가 만약 자유의 개념을 다루는 기술자에 그쳤다면 모두가 기억하는 철학자가 되지는 못했을 것이다. 그의 업적은 단지 《철학사전*Dictionnaire philosophique*》에서 자유와 권력을 연관 지으면서 '자유*Liberté*'라는 항목을 설명한 것에 그치지 않는다. 그는 또한 속박에서 벗어나고자 하는 욕망에 대한 탁월한 글들을 남겼다. 그는 자유를 한 과정의 결과로, 싸움의 목표로 제시했다. 이제 자유는 단순한 개념이기를 멈춘다. 자유는 한 존재 전체를 문제 삼는 요구인 것이다. 욕망이 없다면 개념은 아무것도 아니다. 개념이 이해를 가능케 한다면 욕망은 실현을 촉구한다. 활동이 우선인 것도 이런 이유 때문이다. 볼테르의 목적은 해방이었다. 그는 이 목적을 달성하기 위해 자유의 개념을 창조한 것이다.

욕망이 먼저이고 개념은 다음이다. 우리는 그 사실을 너무 자주 잊는다. 의도는 일반적으로 겉으로 잘 드러나지 않는다. 그러나 추진력을 더하고, 에너지를 주고, 나아가야 할 방향을 제시하는 것은 바로 의도이다. 볼테르는 우선 해방하고자 하는 욕망에 복종한다. 그다음으로 수단을 확보하기 위해 개념을 다듬는 것이다. 그에게는 이것이야말로 철학이 가진 가치였다. 철학은 이제 개념만으로는 획득할 수 없었던 필연성과 운명을 지니게 되었다. 욕망 없이 개념은 아무것도 생산하지 못한다. 개념에는 행동으로 이행하는 힘이 결여되어 있기 때문이다. 우리는 자유의 개념에 대한 논문을 얼마든지 쓸 수 있다. 그러나 이 자유의 개념이 욕망과 연결되지 못할 경우 우리는 구속되고 슬픈 존재로 남게 될 것이다.

해방은 하나의 과정이며 활동이다. 무슨 일인가가 벌어진다. 신앙심이 약화되고, 우상들이 무너진다. 기묘한 고독감이 자리를 잡는다. 해방이 시작된다. 이 과정을 지속하기 위해서 완벽한 자유의 개념이 꼭 필요한 것은 아니다. 그런 완벽한 개념이란 사실상 존재하지 않는다. 자유의 개념보다 해방적 실천에 중요성을 부여하면 자유를 구체적으로 정의할 수 없어도 철학을 하는 것이 가능해진다. 이는 의심을 허용하는 과정이며, 논 피니토이다. 이 과정은 성배聖杯가 그렇듯 자유는 형체가 없다는 사실을 확인한다. 설사 절대적인 개념을 만들어 내지는 못할지라도 가만히 앉아 불가능한 공현公現8에 대해 사색을 하기보다는 길을 떠나 해방을 자극하는 편을 선택하는 것이다. 소크라테스의 모순적인 행적은 이 차이 속에서만 이해될 수 있다. 소크라테스는 자유가 무엇인지 모른다고 말하면서 사람들을 해방시켰다. 이상하고 다소 뒤틀린 듯 보이지만 효과적인 방법이었다. 해방은 다양한 형식과 형태를 띠는 하나의 작업이다. 이 작업은 상황에 민감하게 반응하면서 형태를 구축해 나가는 것이다. 모든 과정이 그렇듯이 이 활동은 현실의 한복판, 인간 삶의 한가운데에서만 존재한다. 구체적인 작업이 지금 당장 전개되는 것이다. 반면 자유는 하나의 개념으로서 그것이 생각되어질 때에만 존재한다.

철학자는 이 두 차원—과정과 관념, 욕망과 개념—을 연결 짓는 순간 잊을 수 없는 충격을 경험한다. 어떤 철학자들은 철학적 작업을 더 중요시하고, 다른 이들은 개념에 더 치중한다. 위대한 철학자들은 자신만의 방식으로 이 두 차원을 연

8 신이 모습을 나타내어 보여 줌.

결할 줄 안다.

철학은 활동적인 지식이다. 철학적 개념들은 해명하기, 해방하기, 자신을 인식하기, 전달하기, 탐색하기, 변형하기, 기쁨을 주기의 결과로 탄생한다. 이 각각의 과정은 2부에서 더 자세히 살펴볼 것이다.

해명하고자 하는 욕망은 본능적이며 억제할 수 없는 것이다. 이 욕망은 존재의 모든 차원에 걸친 철학적 발명품 중 가장 첫 번째에 해당한다. 한편, 철학자가 자신을 알고자 하는 바람을 갖지 않고서 자아의 관념을 이해한다는 것은 불가능하다. 그는 자신에 대한 성찰에서 시작하여 일반 개념들을 만들어 낼 수 있다. 한 사상가가 개인적으로 어떤 전달 방식을 사용하는지를 보면 그가 말 혹은 글과 맺고 있는 관계의 전모를 파악할 수 있다. 더 나은 세상에 대한 지지와 상상, 유토피아는 탐색하고자 하는 의지에 뿌리를 두고 있다. 탐색에의 의지는 철학의 역사만큼이나 오래된 것이다. 변형하는 행위는 이 활동의 또 다른 차원으로서 삶의 방식을 개선하고 개혁하고자 하는 의지와 함께 작용한다. 마지막으로 '기쁨을 주기'라는 최고의 단계가 있다. 이 단계는 좀처럼 도달하기 힘든 목표이지만 우리가 언제나 시야에서 놓치지 말아야 할 것이기도 하다. 단순히 즐거움의 개념을 소유하는 것을 넘어서 존재를 즐거운 것으로 만들어야 한다.

이 욕망들은 각각 다른 방식으로 삶과 이론을 연결한다. 앞서 말했듯이, 이 두 영역을 맺어 주는 것이 철학이다. 철학은 실존적인 것에 머물지 않는다. 철학은 단지 삶의 방식이 아니다. 또한 철학은 단지 이론이기만 한 것도 아니다. 철학은 추상적인 지식이 아니다. 철학은 성찰하고, 이론화하고, 자신을 이해하고자 애쓰는 삶이다. 또한 철학은 실제로 살고 경험하는 것이 되고자 하는 이론이다. 철학을 구성하는 이 각각의 욕망이 자신을 드러낼 때마다 존재와 사유의 만남이 실현된다. 이들 중 오직 이론적이기만 한 것은 없다. 심지어 해명하는 작업조차 살고 느끼는 방식, 혹은 우리가 빛이라고 명명하는 무엇인가에 근거한다. 무언가를 밝힌다는 것은 결국 빛을 비춘다는 것을 의미하지 않는가. 반대로 오직 실천적이기만 한 철학적 욕망은 존재하지 않는다. 기쁨을 주는 단계조차 이론적 차원을 포함한다. 철학에서 즐거움은 지식을 통해 얻어지지 않는가.

이 각각의 활동들이 어떻게 매번 고유한 방식으로 삶과 이론을 맺어 주는지 이해할 필요가 있다. 이 과정 속에서 진보가 이루어진다. 삶과 이론의 관계는 더욱 심화되고 변형된다. 이 철학적 작업들은 삶과 이론이 서로 연결되었다가 분리되는 과정 혹은 단계로 간주될 수 있다. 해명하고, 해방하고, 스스로를 아는 것은 너 자신을 알라[9]는 말 속에서 삶과 이론이 일치하는 지점에까지 양자의 간극을 좁히는 것이다.

---

9 고대 그리스의 아폴론 신전에 새겨져 있다고 전해진다. 소크라테스는 인간의 지혜가 신에 비하면 하찮은 것에 불과하며 무엇보다 먼저 자기의 무지無知를 깨닫는 엄격한 철학적 반성이 중요하다고 하여 이 격언을 철학적 활동의 출발로 삼았다.

반대로 그 뒤에 이어지는 탐색하고, 변형하고, 기쁘게 하는 작업들은 자신에 대한 앎이 전제하는 내밀함을 뛰어넘어 삶과 사유가 새로운 차원을 획득하는 재생^{renaissance}의 모습을 띤다. 이런 의미에서 이 각각의 단계들은 철학적 입문 과정을 구성한다.

이 욕망들은 내가 철학에서 찾고자 하는 것을 명명하는 방식이다. 물론 임시적인 방식일 뿐이다. 우리가 확실하다고 말할 수 있는 것은 오직 임시적인 것, 논 피니토뿐이다. 삶과 이론의 게임에서 최종 결정권을 갖는 것은 경험이다. 모든 사유는 수정이 가능하다. 특히 이론은 매우 일반적인 성격을 띠고 있기 때문에 더욱 그렇다. 어쩌면 나는 철학의 구성 요소인 본원적 욕망 중 몇 가지를 빼먹었을 수도 있다. 이런 가능성에 대해서는 마음을 열어 두고 있다. 그러나 내가 제시한 일곱 가지의 욕망 중에서 어느 것도 삭제할 수는 없다. 이 각각은 그 자체로 고유하며 서로 중복되지 않기 때문이다. 물론 명칭은 달라질 수도 있다. 중요한 것은 그것이 지칭하는 경험 자체이다. 한 가지는 확실하다. 이 작업들 없이는 철학도 없다.

신기하게도 지금까지 철학이 살아남을 수 있었던 이유가 이제 밝혀지게 되었다. 앞에서 언급했듯이, 26세기 동안 변형을 거듭해 오면서도 철학이 건재한 것은 놀라운 일이다. 불확실하고, 불분명하고, 대상과 방법론을 결여하고 있다는 온갖 비판에도 불구하고 철학은 식별 가능한 것으로 남아 있다. 물론 식별 과정에 문제를 제기할 수는 있겠지만 말이다. 철학은 삼차원의 모자이크를 닮았다. 철학사의 각 층들을 조합하여 우리는 특정 형상들을 만들어 낼 수 있다. 보는 방식에 따라 무한히 다른 영상들이 연출되는 것이다.

철학은 겉으로 드러난 내용들과 잠재적으로 숨어 있는 활동들로 구성된다. 이것이 철학이 그토록 오래 생존해 온 이유일지도 모른다. 겉으로 드러난 내용들은 개념들, 세계관들, 커뮤니케이션 방식과 체계들이다. 이것들은 철학에 다양성과 개성을 부여한다. 가변적이고, 변형 가능하고, 수많은 변신과 발명의 대상이 되는 이 내용들은 철학에 단일한 정체성을 부여하려는 모든 시도를 막는다. 이 내용들의 평면 위에서 '철학은 무엇이다'라고 말하는 것은 불가능하다. 철학은 존재에 대한 담론인가? 그러나 어떤 철학자들은 모든 것이 변화하고 변형된다는 이유를 들어 존재를 부정하지 않는가. 그렇다면 개념들을 통해 철학의 정체성을 규정할 수 있을까? 하지만 개념에 우선권을 부여하지 않는 철학자들도 있지 않은가? 몽테뉴는 개념들을 생산하기 위해 글을 쓴 것이 아니다. 체계적인 글, 단편들, 잠언, 대화문 등 표현 방식 또한 매우 다양하게 존재한다. 내용의 평면 위에 머무는 한 우리는 철학을 한마디로 요약할 수 없다. 단지 이런 철학, 저런 철학이 있다고 말할 수 있을 뿐이다.

한편 이렇듯 겉으로 드러난 내용들의 기저에는 잠재적인 활동들이 숨어 있다. 이 활동들의 결합은 오직 철학에만 고유한 것이다. 이 활동들은 대부분의 철학자들에게서 비슷한 모습으로 발견된다. 이들은 철학의 활동적^{opératoire} 정체성을 구성한다. 이와 다른 방식으로 철학의 정체성을 규정하는 것은 불가능하다. 활동적 정체성 즉, 철학이 일정한 과정들을 내재하고 있다는 사실은 철학의 지속성을 설명해 준다. 철학 속에서 지속하는 것은 바로 그 활동들이다. 그리고 욕망들이 그 속에 잠재해 있다. 소크라테스와 마키아벨리, 레비나스는 서로 거의 공통점이 없다. 그러나 해명하고, 해방하고, 자신을 알고, 전달하고, 탐색하고, 변형하고, 기쁨을 주는 것은 이 세 사람 모두의 본원적 욕망이었다.

철학은 이 욕망들 속에서 자신의 정체성을 발견한다. 그리고 이 욕망들을 살아내는 방식에 따라 다양한 공모 관계가 성립한다.

2부
일곱 단계

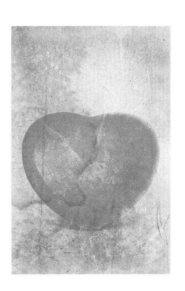

1. 해명하다

니체에게 그리스적 밤, 즉 플라톤적 이상이 휴식하는
시간은 광란적 디오니소스 축제의 무대, 신들로부터
훔친 불과 흥분을 불러일으키는 달이 있는 시간이었
다. 이 디오니소스적 밤에 우리는 플라톤의 빛과 비교
했을 때 심오함에 있어 뒤지지 않는 다른 사고들을 만
난다. 쇼펜하우어, 바슐라르, 얀켈레비치, 바르트와
같은 철학자들 역시 밤의 페이지를 넘겨 가며 글을 썼
으리라 나는 짐작한다.

삶을 성찰할 때 우리 자신의 이력biographie만큼 중요한 주제
도 없다. 그 속에 한 존재의 내면적 리듬, 연속과 반복의 흔적
이 고스란히 남아 있기 때문이다. 한 철학자의 이력이 무언가
를 해명하고, 애매한 것을 명료하게 하고, 해독하고, 정리하
고, 혼돈을 피하기 위해 조금의 질서를 부여하고자 하는 욕
망에 의해 움직이지 않는 경우는 매우 드물다. 좀 더 명확히
보고자 하는 욕구에서 시작하는 것이다. 암흑에 등을 돌리
고 빛을 추구하는 것은 인간 영혼의 근본적인 열망이다. 보
들레르는 다음과 같은 끔찍한 시구를 통해 이 암흑을 묘사

했다. "난간도 없는 영원한 계단을/등불도 없이 내려가는 영벌 받은 자"[10] 이 이미지 속에서 가장 큰 두려움을 주는 것은 빛의 부재이다. 살다 보면 계단을 내려가야 할 때를 자주 만나게 된다. 우리 모두의 운명이다. 상승만 하는 인생이란 없다. 그러나 난간도 없고 어떤 빛도 비추지 않는 계단은 우리를 어딘가 더 나쁜 곳으로 인도하는 것처럼 보인다.

아무것도 보이지 않는다. 손을 더듬는다. 뭔가에 부딪친다. 비틀거린다. 칠흑 같은 어둠뿐이다. 생각은 앞으로 나아가지 못한다. 쏟아지는 졸음 속에서 단편적인 생각들이 혼란스럽게 흩어지는 밤처럼, 오직 어둠으로만 이루어진 생각은 괴물과 두려움, 증오심만을 낳는다. 확인 불가능한 신화, 피로 얼룩지는 종교, 잔혹한 독재 체제 등이 그 예이다. 영혼의 어둠과 암흑은 단지 비유에 그치지 않는다. 이것들은 철학이 영원히 맞서 싸워야 할 적이다.

그러나 마침내 새벽이 온다. 마치 고통이 잠잠해지듯 태양이 떠오른다. 플라톤은 철학적 진리를 햇빛에 비유했다. 플라톤은 말한다. "아이가 어둠을 무서워하는 것은 쉽게 용서할 수 있다. 그러나 어른이 빛을 무서워할 때 삶은 정말로 비극적인 것이 된다."[11] 지혜는 햇빛과 같은 성격을 지닌다. 이 이미지는 단순해 보인다. 그러나 그리스가 빛에 휩싸이는 모

---

10 보들레르의 시, 〈돌이킬 수 없는 일L'Irrémédiable〉 일부.
11 플라톤의 《국가πολιτεία》.

습을 본 이들, 뱃전에 서서 피타고라스의 고향인 에게 해의 사모스 섬 앞바다에 떠오르는 태양을 본 적이 있는 이들은 그 단순한 이미지 속에 실제 경험이 정확히 반영되어 있다는 것을 안다. 철학이 인간 영혼의 운명을 변형하듯이, 그리스의 햇빛은 그리스의 풍경을 변모시킨다. 우리는 여기서 고대인들이 태양과 맺었던 관계 혹은 협약을 발견한다. 플라톤의 사상은 이에 대한 이성적인 설명이다. 철학은 태생부터 햇빛을 추구했다. 철학의 기저에는 밝음에 대한 욕망이 숨어 있다.

무언가를 밝히고자 하는 철학의 야심은 신화가 갖지 못한 철학만의 특징이다. 소크라테스, 플라톤, 아리스토텔레스는 그들의 시선이 닿는 모든 곳이 빛으로 밝아지기를 원했다. 그러나 그들은 곧 반대에 부딪혔다. 철학사는 창시자의 추종자들과 반대자들 사이의 치열한 싸움이다. 그러나 창시자들이 철학에, 그리고 과학에 불어넣어 준 해명에의 욕망은 문제삼지 못한다. 이 욕망은 영원히 사라지지 않는 의지이기 때문이다. 플라톤과 아리스토텔레스에 대한 비판은 오히려 더 밝은 빛, 더 근본적인 해명을 목적으로 한다. 철학자들 사이의 경쟁은 이 빛과 저 빛 혹은 환한 햇빛과 비스듬한 햇살 사이의 대립과 같은 것이다.

그러나 밤이 오면 심오한 사상과 예리한 이론이 탄생한다. 모든 철학은 자신만의 시간을 갖는다. 니체는 자신의 저서에 《아침놀*Morgenröte*》, 《우상의 황혼*Götzen-Dämmerung*》 등의 제목을 붙일 만큼 빛이라는 주제를 중요하게 생각했다. 니체에게 그리스적 밤, 즉 플라톤적 이상이 휴식하는 시간은 광란적 디오니소스 축제의 무대, 신들로부터 훔친 불과 흥분을 불러일으키는 달이 있는 시간이었다. 이 디오니소스적 밤에 우리는 플라톤의 빛과 비교했을 때 심오함에 있어 뒤지지 않는 다른 사고들을 만난다. 훗날 데카르트는 한겨울 난롯불을 지핀 방에서 환영을 보았고 이를 계기로 《정신 지도를 위한 규칙들 *Regulae ad directionem ingenii*》을 집필했다. 파스칼의 모습을 상상할 때면 나는 조르주 드 라 투르[12]의 그림을 떠올린다. 밝은 대낮에 사유하는 파스칼의 모습은 상상하기 힘들다. 쇼펜하우어, 바슐라르, 얀켈레비치, 바르트와 같은 철학자들 역시 밤의 페이지를 넘겨 가며 글을 썼으리라 나는 짐작한다.

철학 속에는 참으로 다양한 빛들이 등장한다. 그것들을 모두 열거한다면 한 편의 사상사를 쓸 수 있을 정도이다. 이미 그런 책이 쓰였는지도 모르겠다. 헤라클레이토스의 불, 플라톤의 햇빛, 인간을 찾기 위한 디오게네스의 등불, 성 아우구스티누스가 본 계시의 빛, 플로티노스의 신비로운 빛의 유출illumination, 성 토마스 아퀴나스의 부활의 빛, 데카르트의 자연의 빛과 이성의 빛, 말브랑슈의 신성한 빛, 칸트의 인공적이고 내면적이며 뉴턴적인 빛, 유럽 계몽주의 빛, 루소가 생피

---

12 Georges de La Tour: 17세기 프랑스 화가. 주로 종교적 주제를 다룬 그의 작품들에는 명쾌하고 청아한 분위기와 더불어 명암의 대비, 인물의 기하학적 대치, 세련된 단채^{團彩}화법 등의 특징이 드러난다.

에르 섬[13]에서 본 희미한 빛, 헤겔의 광휘, 니체의 서광, 하이데거의 방금 갠 하늘빛, 메를로 퐁티가 언급한 세잔의 빛, 들뢰즈의 명석-모호clair-obscur[14], 시몽동의 백열白熱, 그 외에도 전광電光, 섬광, 영상映像 등 수많은 종류의 빛들이 있다. 매혹적인 달빛 역시 빼놓을 수 없다. 빛이라는 단어는 오직 복수형으로만 써야 한다. 빛에 대한 접근법은 매번 새롭게 갱신된다. 철학사에 등장하는 각각의 빛은 그 자체로 하나의 발명이기 때문이다. '빛'이라는 말만으로는 다양한 상황 속에 존재하는 철학의 공통적인 속성을 정의할 수 없다. 각각의 개별성, 각각의 상황, 각각의 인물은 그대로 남는다. 이 빛들은 모두 서로 다르지만, 그 속에는 하나의 공통적인 운동이 존재한다. 바로 그 지점에 철학적 작업이 개입한다. 무언가를 밝히고자 하는 일관된 욕망이 이 다양한 빛들 속에서 드러나기 때문이다.

이 과정은 각 상황의 개별성을 지우지 않고도 무수한 경우에 공통적으로 존재하는 것을 묘사할 수 있게 해준다. 우리는 20세기 말 철학을 곤경에 빠뜨린 딜레마에서 벗어나야 한다. 보편성에 대한 모든 접근권을 포기한 채 개별성을 인정할 것인가, 개별성을 포기하고 보편화를 추구할 것인가 하는 딜

---

13 스위스의 한 섬으로, 프랑스에서 《에밀》에 대한 금서령과 함께 체포령이 떨어지자 루소가 도망쳐 숨은 곳이다. 그는 훗날 그곳에서 참으로 행복한 시간을 보냈다고 회고한다.
14 프랑스어 'clair'와 'obscur'는 일차적으로 '밝다', '어둡다'의 의미가 있다.

레마이다. 그러나 철학적 작업들에 주의를 기울이자마자 이 딜레마는 해소된다. 개별적인 것을 특정 상황과 작업에 의존하는 생산물로 간주할 수 있기 때문이다.

이제 우리 앞에 새로운 연구의 장이 열린다. 철학 속에 내재하는 욕망을 복원함으로써 철학을 바라보는 새로운 관점, 철학을 설명하는 독특한 방식을 획득하는 것이다. 앞에서 여러 종류의 빛과 함께 묘사한 철학의 역사는 개념의 역사, 곧 철학자들의 창조의 역사이다. 여기에 현재 진행 중인 철학의 역사가 덧붙여진다. 이 역사는 결과와 그것을 낳은 의도를 연결함으로써 형성된다. 이를테면 특정한 빛의 개념이 탄생한 역사를 쓴다는 것은 사상가가 해명에의 욕망을 실현하기 위해 우선시한 상황과 선택지들, 방법이 어떻게 그 결과로 이어졌는지를 살펴본다는 의미이다. 철학자는 빛에 대한 당대의 과학적, 기술적 이해에 의존할 수밖에 없다.

해명은 일종의 투쟁이다. 해명의 과정은 언제나 관점의 변화를 요구한다. 조명의 변형은 예술이자 과학이다. 화가, 조명 기사, 연출가, 안무가, 사진가, 영화감독은 빛을 조작하는 것이 곧 우리가 현실과 맺는 관계를 변화시키는 일이라는 사실을 잘 알고 있다. 조명에 따라 윤곽이 희미해지고 익숙한 대상이 비밀스러운 외양을 띠기 시작하며 어떤 얼굴은 굳은 표정으로 바뀌고 슬픈 줄만 알았던 다른 얼굴은 기쁜 표정을 띤다. 환상이 몸을 얻고 낯익은 것이 있던 자리에 낯선 것이 자리 잡는다. 많은 이들은 평소와 다른 상황 속에서 혼란을 느끼고 소외와 고독을 경험한다. 우리의 정신 속에서도 같은 일이 벌어질 수 있다. 무언가를 해명하는 철학자의 행위는 사고를 비추는 새로운 조명을 발명하는 일과 같다. 철학자는 새로운 생각들을 발명하기보다는 그것들이 새로운 빛 속에 드러나고 변형되게끔 그 생각들을 결합한다. 독창적인 해명은 때로 밝은 빛에 둘러싸인 것을 어둠 속으로 밀어 넣기도 하며, 그 때문에 선대 철학자들 혹은 경쟁자들의 화를 돋우기도 한다. 사소한 것으로 간주되던 부분이 중요성을 획득한다. 정신적 풍경 전체가 변화하기 시작한다. 표면적으로만 보면 이제는 오류가 되어 버린 과거의 진리를 새로운 진리가 대체하는 것처럼 보인다. 그러나 진리는 오류가 되지 않는다. 단지 한때 진리이던 것이 더 이상 빛을 발하지 않게 된 것뿐이다. 다시 말해, 드러난 진리를 의미하는 그리스어 '알레테이아Aletheia'이기를 멈춘 것이다. 그 진리가 빛을 발하는 힘을 잃게 되었기 때문이 아니라 빛을 비추는 제반 조건들이 바뀌었기 때문이다.

위대한 철학적 기술이란 관습적인 사용으로 빛을 바랜 생각들에 새로운 빛을 비추는 데 있다. 따라서 해명하는 행위는 철학자가 하나의 감정, 의견, 판단을 탈취하여 그것을 자신의 빛 속에서 변형시키는 것과 같다. 그러나 어떻게? 해명하는 행위는 철학 속에서 어떠한 고유의 모습을 취하는가? 자연과학자, 사회학자, 심리학자 역시 무언가를 해명하지 않는가? 비교秘教 같은 것에 심취하여 세상 속에서 온갖 생생한 상징들을 찾아 헤매는 이들조차 스스로 무언가를 해명하고 있다고 믿고 있다. 그렇다면 철학에 있어 고유한 해명의 작업이란 어떤 것일까?

각각의 철학적 작업에 대해 논할 때 삶과 이론의 게임을 상기할 필요가 있다. 다시 말해 철학에서 논하는 모든 것은 두 번 존재한다. 명석함을 얻게 된 철학자는 우리가 철학책이나 강의실에서 그 조작법에 대해 배우는 개념들, 이를테면 존재, 시간, 세계, 불안 등과 같이 백과사전에 등재된 그 개념들이 이중으로 존재한다는 것을 이해한다. 첫 번째는 추상적인 관념으로, 두 번째는 경험으로 존재하는 것이다. 두 차원은 서로 매우 다르다. 이를테면 우리는 베르그송이 기쁨에 대해 쓴 글들을 읽고 흥미를 느끼지만 실제로는 단 한 번도 그런 경험을 해보지 못했을 수도 있다. 반대로 우리가 실제로 경험한 기쁨은 베르그송의 언어로 포착되지 않을 수 있다. 이런 식으로 우리는 관념과 경험, 이론과 우리 자신의 삶을 대비시킨다. 이 대조는 매우 중요하다. 이를 통해 지금까지 독립적이었던 두 차원을 연결 짓는 것이다. 하나는 개인적인 경험 없이 관념만 존재하는, 순수하게 이론적이고 지적인 차원이고, 다른 하나는 실제로 체험한 것이 분석의 대상은 되지만 아직 관념과 조우하지 않은 상태로 남아 있는 경험의 차원이다. 비철학적인 사고 속에서는 이 두 차원의 분리가 매우 전형적이다. 이를테면 과학은 이론이 경험에 오염될 가능성을 배제한다.—그렇지 않을 경우 과학은, 더 이상 과학이기를 멈춘다.

　만약 철학으로 들어가는 입구 혹은 지적인 계시의 순간 같은 것이 정말 존재한다면, 그것은 관념과 경험의 상관관계에 대한 인식에서 찾아져야 한다. 우리가 이 관계를 알아보는 순간 두 개의 차원은 독립적이기를 그친다. 두 차원은 이제 서로 영향을 주고받으며 밀접한 관계를 맺는다. 이제 베르그송이 기쁨에 대해 쓴 글들을 읽는 것은 실제로 느낀 기쁨의 경험으로 옮아간다. 한편 이 경험은 일종의 필터 같은 구실을 한다. 이 필터를 통해 본 베르그송의 글은 완전히 새로운 것으로 변형된다. 사고와 삶이 상호작용하기 시작한다. 이 근본적인 인식을 통해 우리는 추상적인 백과사전적 지식과 형언이 불가능한 경험의 세계 양자 모두에서 벗어날 수 있게 된다. 이제 두 개의 차원을 대신해 하나의 관계가 성립한다.

　이 상관관계를 모두 밝히려면 아마 평생이 걸려도 불가능할 것이다. 하나의 사유는 어떻게 경험될 수 있을까? 그러나 우리가 경험할 수 없는 관념들도 존재하지 않는가! 하나의 삶은 어떻게 사유가 될까? 모든 존재는 자신만의 개별성을 갖기 때문에 일일이 각각에 적합한 언어를 마련해야 하지 않을까? 바로 이 지점에서 해명의 작업이 개입한다. 해명한다는 것은 평소 같으면 눈에 띄지 않을 이 상관관계를 어둠 속에서 끄집어내어 밝은 빛 위로 드러내는 일이다.

　빛의 비유, 그 상징의 반복적 사용만 봐도 모든 것이 삶과 사유의 사이에서 진행된다는 것을 알 수 있다. 빛이 눈과 대상 사이에 있듯이, 해명하고 명확히 해야 할 이 게임 혹은 관계는 이제 더 이상 독립적으로 존재할 수 없는 두 개의 차원 사이에서 진행된다. 이 관계는 이제 철학의 가장 위대한 혁명들 한가운데에 위치한다. 혁명이란 이를테면 《순수이성비판 *Kritik der reinen Vernunft*》, 《정신현상학 *Phänomenologie des Geistes*》, 《경험과 판단 *Erfahrung und Urteil*》, 《개체와 그 물리-생물학적 기원 *L'individu et sa genèse physico-biologique*》[15]등을 말한다. 이 각각의 작품들은 서로 매우 다른 방식으로 경험과 사유의 관계를 조명한다.

철학자들은 이 두 차원의 사이에서 살아간다. 그들은 단지 경험의 세계에만 머무르지 않는다. 그곳에 머문다면 그저 살아가는 것에 만족할 수 있을 것이다. 그들은 또한 협의의 이론적 세계 속에서만 살지도 않는다. 만약 그렇다면 그들은 철학자라기보다 논리학자나 사상사 연구자가 되었을 것이다. 그들은 두 차원의 순수함과 독립성을 감소시키기보다는 상호 작용과 상호 연관을 증대시킨다. 이런 조건 속에서 해명의 욕망은 환상에 그치지 않는 실질적인 힘에 대한 인식을 동반한다. 그 힘은 사유를 통해 존재를 변형시키고, 체험된 삶을 통해 사유를 변형시킨다.

이 두 차원의 근본적 결합에 주목하는 철학자가 체험하거나 주제화하는 이 경험에는 일종의 도취와 열광이 뒤따른다.

---

15 앞에서부터 순서대로, 칸트(1781), 헤겔(1807), 후설(1939), 시몽동 (1995)의 저서이다.

그는 하나의 총체성^{totalité}을 재구축하고 있는 듯한 느낌에 사로잡힌다. 많은 사람들의 눈에는 분리되고 모순적인 것으로 보이는 삶과 사유가 하나가 되는 것을 보면서 그는 통일성과 충만함의 감정을 느낀다. 자신의 삶이 자신이 배운 각각의 이론들과 서로 결부되어 있음을 이해할 만큼 충분히 독립적이고 개성 있는 철학자들은 모두 이 잊을 수 없는 기쁨과 열광의 순간을 경험했을 것이다. 새롭게 재구성된 총체성에 대한 욕망과 놀이의 권한을 획득했기 때문이다. 니체는 〈교육자로서의 쇼펜하우어*Schopenhauer als Erzieher*〉[16]에서 이 도취와 충만감을 잘 묘사했다.

철학적 욕망의 첫 단계는 적극적이고 긍정적이다. 우리는 해명을 통해 관계를 창조한다. 이 관계는 매우 불안정하여 금세 부정적인 상태로 변하기 쉬우므로 가능할 때 충분히 만끽하는 편이 낫다. 부정적인 것과의 만남은 철학의 두 번째 작업, 해방하기로 넘어가기 위한 구성적인 단계이다.

---

16 총 4권으로 구성된 《반시대적 고찰*Unzeitgemässe Betrachtungen*》의 3권에 해당한다.

2. 해방하다

사람들은 철학자들이 비판만 할뿐 아무런 대안도 제
시하지 않는다고 비난한다. 하지만 왜? 왜 철학자들
은 공격을 하기 위해 대안을 제시해야만 하는가? 그
들은 정치인이 아니다. 그 무엇도 그들에게 건설적이
되라고 강요할 수는 없다. 왕이 벌거벗었다고 폭로하
는 것은 왕에게 다시 옷을 입히기 위해서가 아니다. 이
해방의 단계에서는 아무런 대안도 제시하지 않는 것
이야말로 그들의 독립성을 증명한다.

소크라테스, 보이티우스, 세네카, 아벨라르, 브루노, 베이컨,
볼테르, 디드로, 마르크스, 베냐민, 후설, 카바이에스, 아렌
트, 파토치카, 그 외 여러 철학자들은 검열과 탄압, 감금을
경험했다. 그 중 몇몇은 목숨을 잃기도 했다. 이 철학자들은
모두 세상을, 혹은 자신을 해방하려는 욕망에 이끌렸다.
　근본적인 활동으로서의 해방은 철학의 해명 작업에서 직접
적으로 시작된다. 해방의 작업은 삶과 사유의 관계, 그 관계
에서 비롯되는 결과들을 탐색하는 운동과 관련이 있다. 바로
이 관계가 해방에의 욕망에 모든 힘을 부여해 준다. 앞서 우

리는 철학자들의 사유가 삶으로, 삶이 사유로 변환될 수 있으며 이는 해명에의 욕망이 목표하는 바이기도 하다는 사실을 배웠다. 이러한 변환은 하나의 힘이다. 사유는 삶의 방식에 영향을 미칠 수 있으며, 경험은 우리의 세계관을 변화시킬 수 있다. 이는 결코 하찮게 볼 문제가 아니다.

　이러한 힘의 발견과 열광의 단계가 지나고 나면—삶과 사유 사이의 내밀하고 역동적인 관계를 인식하는 것은 매우 흥분되는 일이다—비판의 시간이 찾아온다. 비판은 대대적으로 이루어진다. 이 힘에서 하나의 긍정적인 결과를 도출하려면 백 개의 부정적인 결과를 감내해야 한다. 철학자는 관념의 힘과 권위를 발견한다. 이제 철학자는 관념에 예민하게 반응한다. 그는 관념이 자주 잘못 사용되고 본래의 의미를 벗어나거나 도구화되는 것을 간파한다. 철학자는 삶으로 변환되는 관념과 경험에 영향을 미치는 사유를 곳곳에서 찾아낸다. 그리고 자신이 동의하지 않는 이해관계에 복무하는 관념들, 오류들, 분노를 불러일으키며 인명을 앗아갈 수도 있는 관념들을 솎아 낸다. 철학자는 우선 하나의 힘을 발견한 것에서 기쁨을 느낀다. 만약 그 힘의 존재를 유감스럽게 생각하지만 않는다면 그는 그 결과들 또한 발견하게 될 것이다. 그는 끊임없이 삶과 사유 사이의 변환을 잘못된 방식으로 사용하는 예들을 찾아 비판한다. 그는 곳곳에서 심약한 삶을 살게 만드는 저열한 관념들, 한심한 이론들을 생산하는 실망스러운 경험들을 발견한다. 철학적 비판은 바로 여기에 개입한다. 비판은 다른 이들보다 철학자의 눈에 더 잘 띠는 광경에서 시작된다. 그곳을 밝게 비추는 것이 철학자의 임무이기 때문이다. 처음에는 긍정적인 측면만 보이던 힘이 탈선하는 광경을 목격하는 것이다. 부정을 경유하는 일은 고되다. 이는 평화의 종말, 환멸, 유토피아의 죽음을 인정하는 과정이다. 만약 관념이 관념으로만 머문다면 위험할 일도 없을 것이고 철학자가 슬픔에 빠질 일도 없을 것이다. 그러나 관념들은 세계 전체를 뒤흔들고, 때로는 피로 물들이는 원인이 될 수도 있다.

이제 공격이 시작된다. 철학자들은 모든 시간을 바쳐 비판에 몰두한다. 그들은 옳다. 그들은 디오게네스와 쇼펜하우어, 니체, 시오랑처럼 욕설을 퍼붓는다. 그들은 거부한다. 해방은 근본적으로 부정적인 기능이다. 해방은 우리를 묶는 쇠사슬을 찾아내어 그것을 풀어내는 일이다. 해방은 삶과 이론의 잘못된 상호 변환을 적발한다. 볼테르는 파스칼의 《팡세 Pensées》를 비판함으로써 파스칼이 자신의 불행한 삶의 경험을 잘못된 방식으로 일반화했다는 사실을 보여 주고자 했다. 파스칼의 우주적 불안은 사실상 개인적 관점에서 비롯된 것이며 개인적인 차원에 머물렀어야 했다는 것이다. 한마디로 볼테르가 말하고자 했던 것은 파스칼의 방식으로 삶을 사유로 변환해서는 안 된다는 것이다. 훗날 니체는 삶과 사유의 이런 잘못된 변환을 통렬히 비판했다. 니체는 소크라테스적 도덕, 금욕주의, 칸트 철학이 삶을 잘못된 관념에 종속시켰으며, 해로운 개념들을 따르도록 함으로써 존재를 빈곤하게 만들었다고 비판했다. 니체는 일부 사람들의 관념이 이런 식으로 인류의 삶을 변형시키는 것은 정당화될 수 없다고 일갈했다. 해방한다는 것은 우선, 경험과 관념, 삶과 이론을 부적절한 방식으로 연결 짓는 것을 거부하는 것이다. 이 작업은 이를테면 모든 것을 해체하는 연금술의 제1단계에 해당하며, 플라톤이 동굴을 빠져나오고, 베이컨이 우상들을 해체하고, 데카르트가 방법적 회의를 전개하고, 후설이 세계를 괄호 치면서 하고자 한 작업이었다.

모든 해방은 일종의 정화淨化이다. 해방은 근본적으로 부정적인 작업이다. 해방의 과정에서는 무엇을 욕망하는가보다 무엇을 거부하는가가 더 잘 드러난다. 사람들은 철학자들이 비판만 할뿐 아무런 대안도 제시하지 않는다고 비난한다. 하지만 왜? 왜 철학자들은 공격을 하기 위해 대안을 제시해야만 하는가? 그들은 정치인이 아니다. 그 무엇도 그들에게 건설적이 되라고 강요할 수는 없다. 왕이 벌거벗었다고 폭로하는 것은 왕에게 다시 옷을 입히기 위해서가 아니다. 부당한 권력을 조롱하는 것은 자신들이라면 더 정당한 방식으로 권력을 행사할 수 있을 것이라는 은밀한 생각을 품고 있기 때문이 아니다. 이 해방의 단계에서는 아무런 대안도 제시하지 않는 것이야말로 그들의 독립성을 증명한다. 이는 마치 무상無償인 것처럼 보인다. 물론 무턱대고 비판만 하는 건 짜증을 불러일으킨다. 항상 그렇듯 여기서도 중요한 것은 표현하는 방식이다.

철학자는 급진적이 되는 것 말고 다른 선택의 여지가 없다. 철학자의 눈에 삶은 결코 충분히 순수한 적이 없기 때문이다. 철학자는 이데올로기와 비인간적인 해석으로부터 삶을 구출하기를 원한다. 이 삶은 나는 **존재한다**는 말로 표현된다. 지금 여기에서 나는 숨 쉬고, 생각하고, 존재한다. 그뿐이다. 있는 그대로의 사실이 갖는 급진성이다. 이곳에 있고, 이곳에서 살고 있다는 명백함이다. 다만 피부, 근육, 뼈로 이루어진, 생각하는 몸이 있을 뿐이다. 숨을 쉬고 피가 돈다. 숨 쉬는 나는 존재한다. 그게 바로 삶이다. 복잡한 개념 따위로 왜곡할 필요가 없다. 삶은 단순함 그 자체이다. 우리의 호흡은 마치 하늘에 지나가는 구름처럼 명백하다. 명백하고 신비롭다. 그러나 우선 명백하다. 왜냐하면 신비는 이미 어떤 초월성을 상정하기 때문이다. 존재한다는 감정은 그 자체로 절대적이다.

해방하고자 하는 철학적 욕망은 한마디로 이 원초적인 감정을 되찾기 위해 벌이는 지속적인 노력에 다름 아니다. 일련의 장막들이 그 감정을 가리고 있다. 그것은 해석, 신앙, 이데올로기 들이다. 혹은 소홀, 태만, 부주의일 수도 있다. 이 모든 것들이 부정의 대상이 된다. 이 순간 철학자는 마치 원점에서 다시 출발하고 싶어 하는 것처럼 보인다. 그의 근원에의 욕망, 절대에 대한 갈증은 그가 스스로 양도할 수 없는 권리라고 여기는 것 속에 뿌리를 내리고 있다. 존재한다는 느낌으로 되돌아가는 것, 그리고 가능하다면 잠시 동안이라도 좋으니 그 느낌 속에 머무는 것이다.

철학자는 이 부정을 통해, 나는 숨을 쉰다, 나는 존재한다는 가장 근본적인 원칙과 연결된다. 이 상태에서 과연 그에게 새로운 이론 따위를 요구할 필요가 있을까? 명상 중인 요가 수행자에게 행복의 비결을 묻는 것만큼이나 부적절한 일 아닐까? 삶과 사유의 관계 속에서 이루어진 게임을 통해 부정은 그를 삶의 한복판으로 인도했다. 그는 더 이상 아무것도 선언할 필요가 없다. 그러니 다시금 이론 따위를 세울 이유가 없지 않은가? 그는 데카르트와 마찬가지로 이 극단적인 상태를 기회로 삼아 논리학과 수학, 물리학과 신학을 새롭게 재구성할 수도 있을 것이다. 그러나 과연 그게 합당한 일일까? 세계를 철저하게 부정한 후에 동일한 세계를 다시 세워야 할 이유가 있을까? 누구도 그런 것을 강요할 수는 없다. 해방은 부정적인 행위, 파괴의 충동이다. 그러나 재건의 욕망이 이것들을 은밀하게 추동하고 있다는 식으로 생각해서는 안 된다. 철학자는 모든 것을 무無로 되돌렸다. 그는 삶과 사유의 관계를 밝히고 불필요한 사유로부터 삶을 해방시켰다. 그는 존재한다. 그리고 호흡한다. 이것으로 이제 족하지 않은가?

이 질문에 정답은 존재하지 않는다. 물론 이 단계에서 멈출 수도 있다. 해명하고 해방한다는 두 가지의 근본적인 욕망이 결여된 철학은 상상하기 힘들다. 반면, 오직 이 두 가지 욕망만으로 이루어진 철학을 상상하기는 어렵지 않다. 굳이 여기에 하나쯤 덧붙이고 싶다면 기쁨을 주고자 하는 욕망 정도가 있겠다. 철학에의 입문은 '존재한다'는 느낌의 순수함을 되찾은 만족감에 사로잡혀 그 상태를 즐기면서, '나를 조용히 내버려 두시오'라는 암시로 끝을 맺을 수도 있다. 명백하고 자유로운 철학, 다시 말해 근본적으로 부정적인 철학은 이를테면 급진적인 회의론자들에게서 주로 발견된다. 회의론의 시조, 피론[17]은 "인간은 나뭇잎을 닮았다"고 한 호메로스의 시구를 자주 인용했다. 시오랑의 몇몇 글에서도 비슷한 내용이 등장한다. 로랑 드 쉬테르[18]는 《정치적 무관심에 대하여De l'indifférence á la politique》에서 해명과 해방의 두 욕망만으로 새로운 철학적 사원을 짓지도 않고, 그렇다고 거짓말을 하지도 않으면서 최소한의 철학하기가 어떻게 가능할 수 있는지 잘 보여 준다. 그는 차라리 풀리아의 해변에 드러누워 시간을 보내는 편이 낫다고 말한다. 그 이상 더 무엇이 필요하겠는가?

철학자는 단어들을 신뢰한다. 그는 언어를 믿는다. 그에게 언어는 모든 것을 걸 수 있는 열정이다. 그가 제안하는 매우 특별한 해방의 여정에 동참하고자 하는 사람은 극소수에 불과할 것이다. 철학자는 그 사실을 잘 안다. 철학자는 때로 매우 실재적인 적과 맞닥뜨린다. 그 적은 시스템이 가하는 구

---

17 Πύρρων(BC 360~BC 270): 고대 그리스의 철학자. 마음의 안정을 위해 모든 의견과 결정을 삼가는 판단중지의 입장을 취했다. 회의론을 뜻하는 '피론주의'라는 말도 그의 이름에서 유래됐다.
18 Laurent de Sutter(1977~): 브뤼셀 대학에서 법 이론을 연구하면서 작가, 출판 편집자로서도 왕성한 활동을 보이고 있다.

속, 부당한 법률 혹은 인권에 대한 침해 같은 것일 수 있다. 혹은 그가 혐오하는 특정 삶의 방식일 수도 있다. 얼간이들과 맞닥뜨리는 것보다 더 현실적인 상황은 없을 것이다. 이 구체적인 장애물 앞에서 다른 이들 같았으면 당연히 물리적이거나 법적인 대응을 할 테지만 철학자는 언어를 무기로 삼아 대항한다. 철학자는 현실의 세계에 머물거나 하나의 삶을 다른 삶에 대비시키는 것에 만족하지 않고 다른 차원으로 넘어간다. 그는 글을 쓴다. 그리고 항의한다. 그렇다고 그가 물리적이고 법적인 대응을 전혀 모색하지 않는 것은 아니다. 그러나 그의 희망과 에너지의 근본적인 부분은 다른 차원, 즉 이론의 차원에 투입된다. 철학자는 삶과 이론 사이에서 게임을 벌인다. 장애물을 만나면 그는 싸움의 장에서 제기된 현실적 문제들을 상징적 공간으로 옮겨 놓는다. 모든 싸움은 그에게서 철학적인 싸움으로 변모한다. 그는 사회적 비판을 내면화하고 자신의 반격을 이론화한다.

실존적인 측면에서 이는 매우 놀라운 태도이다. 이런 태도를 취하는 이들을 발견하기는 쉽지 않다. 이런 태도는 일종의 제의적인 성격을 띤다. 삶의 차원에서 이론의 차원으로의 이동은 유혈 사태를 막기 위해 갈등을 연극화하던 고대의 관습과 닮아 있다. 삶과 이론은 단지 한 발자국 거리에 있다. 철학자는 자주 혼자서 이 경계를 넘어간다. 철학자는 다른 이들의 눈에는 보이지 않는 날개를 보고 풍차와 싸움을 벌이는 돈키호테를 닮았다. 자주 주위 사람들로부터 도망자라고 손가락질을 받는 이유도 이 때문이다. 마르크스는 물질적으로 해결하지 못했던 돈 문제를 종이 위에 지적인 방식으로 실컷 해소했다. 그는 《자본*Das Kapital*》을 집필하던 당시 자신의 서재로 들어온 누군가에게, 자신만큼 돈을 적게 갖고 있으면서 그토록 돈에 대해 많은 말을 한 사람은 없을 것이라고 농담을 했다. 사람들은 철학자에게 다른 사람들을 해방시킬 방도를 궁리하기 이전에 제 자신의 문제부터 해결하라고 타박하기도 한다. 소크라테스가 처형당하기 며칠 전 친구들이 그에게 한 말도 비슷했다. 네가 처벌받는 것은 부당하다고 네 입으로 말하지 않았는가. 그러니 도망쳐라! 그러나 소크라테스는 법을 따르는 편을 택했고, 죽음이 목전에 다가오자 생사의 경계를 넘어가는 길을 함께해 줄 아스클레피오스 신에게 자기 대신 닭 한 마리를 갚아 달라고 친구들에게 부탁했다.[19]

진정한 해방은 언어를 통해 이루어진다. 이 해방은 이론적이다. 철학자는 사유를 통해 삶 속에 참여하기 때문이다. 이를테면 신앙생활과 같다. 철학자는 마치 자신의 고향처럼 책들을 신뢰한다. 그는 혼자가 아니다. 그는 단어들이 엑스선 X-ray과 닮았다고 믿는다. 그래서 무엇이든지 관통해서 볼 수

19 《파이돈》에 나오는 소크라테스의 유언이다. "크리톤, 우리는 아스클레피오스에게 닭을 빚졌다네. 그걸 갚아 주게." 당시에는 병이 나으면 의술의 신 아스클레피오스에게 감사의 뜻으로 닭을 바치는 풍습이 있었다. 이 유언을 통해 소크라테스는 죽음으로써 인생이라는 질병에서 해방되었음을 역설적으로 표현하고 있다.

있다고 생각한다. 그는 마치 굳건한 동조자들 같은 사유들에 기대고 있다. 이 놀랍고 드문 철학적 신앙에는 보상이 없다. 이 신앙은 그것을 전파하는 사람의 마음을 달래 주지 못한다. 삶과 이론의 게임이 정점에 이른 곳에서 이 이상한 계급에 속한 사람들은 책을 쌓아 놓고 전쟁을 치르는 기술을 발전시켜 나간다.

우리는 이제 철학자들이 왜 그토록 적을 만드는 데 고수가 되었는지 이해할 수 있다. 사람들은 철학자들을 '지혜의 친구들'이라고 부른다. 그러나 지혜의 여신과 친구가 되기 위해 얼마나 많은 적을 만들어야 하는지. 말 그대로 '적을 만든다'는 표현이 딱 들어맞는다. 적은 오랜 시간 참을성 있게 공들여서 만들어진다. 그리고 가장 좋은 상태일 때 모습을 드러내는 편이 좋다. 그중에는 우선 사회적 적이 있다. 사람들이 사회 속에서 자유를 누리지 못하도록 방해하는 적이다. 철학자는 끊임없이 이들로부터 비난을 산다. 소크라테스, 스피노자, 쇼펜하우어는 동시대 사람들을 불편하게 만드는 데 최고의 재능을 가진 철학자들이었다. 오직 친구들에게만 둘러싸여 있는 철학자는 충분히 노력하지 않았다고 봐도 무방하다.

또 다른 적은 반대되는 견해를 신봉하는 이들이다. 대부분의 철학은 자신을 돋보이게 해줄 이론을 필요로 한다. 그 이론이 논리정연하고 주목받는 것일수록 희생양으로서의 가치는 더욱 빛을 발한다. 문제는 이처럼 괜찮은 적을 찾아내기가 만만치 않다는 것이다. 만약 적을 찾아내지 못했을 경우, 철학적 재능은 때로 자신에게 대적할 만한 적을 스스로 만들어 내기도 한다. 이런 관점으로 유명한 철학서들을 다시 살펴보라. 그 책들 중 상당수는 자신에 반하는 이론을 자세하게 소개하는 것으로 서두를 연다. 그러고는 그 이론의 매력과 장점을 보여 준 후, 어떤 식으로 똑똑한 사람들을 설득하고 마음을 사로잡았는지를 설명한다. 철학자는 이 이론의 영향력을 과장하고 그 힘을 높이 산다. 책이 중반쯤 진행됐을 때, 그 이론은 누가 보더라도 속이 텅 빈 커다란 풍선 같은 것에 불과한 것처럼 보인다. 그 순간 철학자는 작은 핀을 쥐고 다가가 풍선의 공기를 빼 버리는 것이다. 그 순간이 너무도 빨리 지나가 버려 실망스러울 때도 있다. 사실상 망치를 들고 작업하는 철학자를 만나는 건 매우 드문 일이다. 하나의 적을 만들어 내는 데 필요한 재능에 비하면 적을 권좌에서 쫓아내는 기술은 때로 별 노력이나 용기를 필요로 하지 않는다. 초반에 적을 찬양하는 데 너무 힘을 쏟은 나머지 막상 마지막 칼싸움 장면은 대충 처리해 버리는 식이다. 이처럼 극적인 볼거리가 부족한 책들은 뒤로 갈수록 지루함만 커진다. 너무 쉽게 승리를 거두게 되면 되찾은 진리는 별 흥미를 불러일으키지 못한다. 단테의 《신곡*La divina commedia*》 '천국편'의 마지막 장면에서 행복한 주인공들이 천복을 누리는 모습을 보면서 일말의 재미를 위해 '지옥편'의 불꽃들을 삽입하고 싶어지는 마음과 마찬가지이다.

이 모든 것은 사실상 미학적이고 개인적인 디테일일 뿐이다. 결과는 이미 주어져 있다. 적은 패배하고 진리는 승리한다. 자기긍정을 위해서는 자기부정이 필요하다. 우리는 한 철학자의 적을 알고 있을 때 그의 이론을 더 잘 이해할 수 있게 된다.—적이라기보다는 형제라고 불러야 할지도 모르겠다. 니체에게 그것은 기독교였고 후설에게는 심리주의였다. 베르그송의 형제 혹은 적은 기계와 물질주의였으며, 하이데거의 그것은 현존재의 비본래적 세계였다. 사르트르는 본질주의와 싸웠고, 들뢰즈는 상대적 차이와, 시몽동은 안정성과, 비트겐슈타인은 문법적 오류와 싸웠다. 이 외에도 수많은 예가 있지만 과정은 모두 동일하다. 적을 설정하고 거울에 비친 영상처럼 그것과 반대되는 입장을 취하면서 새로운 이론을 만들어 내는 것이다. 파르메니데스에 대한 플라톤의 반역, 친구들을 쫓아가기보다는 진리를 추구하는 편을 택하겠다고 한 아리스토텔레스의 선언은 철학사에서 수없이 되풀이된 장면 중 하나일 뿐이다. 그러나 자신의 라이벌을 찾는 일은 결코 쉬운 일이 아니다. 자신이 누구와 맞서 싸우고 있는지도 모른 채 평생을 보낼 수도 있다.

철학자가 오직 논리적인 문제, 즉 사유나 이론의 모순과 관련된 이유만으로 다른 철학자를 비판하는 경우는 드물다. 마찬가지로 하나의 경험을 비판의 대상으로 삼고 거기에 다른 경험을 대립시키는 경우도 드물다. 삶과 사유가 결합되는 순간에만 철학은 존재한다. 반면 철학적 해방은 부적절하게 결합된 삶과 사유가 분리되는 순간에만 가능해진다. 철학에서 자기해방이란 이 부적절한 관계에 대한 고발에서 시작된다.

이 모든 것들은 외부로 확장되기 시작한다. 해방이라는 작업은 매우 지엽적인 것처럼 보이지만 매우 빠른 속도로 처음의 영역을 넘어 그 효과를 확산시킨다. 이제 다른 영역에서도 그 결과를 느낄 수 있게 된다. 해방은 정치적 행동이자 실존적 필연이다. 사유의 대상이 되어야 할 삶은 바로 우리 자신의 삶이다. 우리가 포착하고자 하는 존재감은 바로 지금 우리가 경험하고 있는 이 느낌이다. 강요와 속박은 그런 기분을 억누른다. 권력은 오래전부터 그것을 알고 있었다. 지금까지 권력에 의해 투옥된 수많은 철학자들은 그들이 욕망하는 해방의 가장 큰 적이 통제하고 굴복시키려는 전략임을 증언한다.

이제 모든 것은 좀 더 구체적인 모습을 띠기 시작한다. 철학자는 삶과 사유의 관계에 대해 자신이 하는 말들이 그 관계 규정을 독점하려는 체제와 정면충돌할 수도 있음을 알고 있다. 철학자의 발언은 점점 구체성을 띠며, 상황에 따라서는 위험을 초래할 수도 있다.

철학자는 해명하고 해방하는 작업을 통해 자신을 내세우고 동시에 자신을 부정한다. 그는 적을 만나게 되는데, 그 적은 처음엔 추상적인 모습을 띠다가 그 정체가 조금씩 밝혀지면서 점점 더 개별적인 모습을 드러내게 된다. 그 적은 철학자가 그것이 오직 외부에만 있는 게 아니었다는 사실을 깨닫는 순간 더욱 구체적이 된다. 적은 철학자의 내부에 있을 수도 있다. 세 번째 욕망, 즉 철학의 세 번째 기능이 자신을 아는 것에 있다는 사실을 우리가 알아야 하는 이유이다.

3. 자신을 알다

"자, 말해 보라. 이 삶은 당신에게 무슨 의미가 있는
가?" 결국 자신을 안다는 것은 이 질문을 만나고 그것
을 감당한다는 것을 의미한다. 이 질문을 견디고 이
질문이 우리에게 제공하는 약속을 감지하는 것, 즉 이
질문이 불러일으키는 현기증과 이 질문이 우리에게 부
여하는 자유를 동시에 맛보는 것이다. 이제 큰 바람이
불기 시작한다. 철학의 중심에서 부는 바람이다. 우주
적인 차원을 획득한, 존재하는 내가 내쉬는 숨이다.

철학보다 더 애매한 위치에 있는 지적 분과가 또 있을까? 철
학이란 정확히 무엇인가? 보편성을 추구하는 이론적 담론인
가? 아니면, 일반성을 획득하기 원하는 개인적 담론인가? 사
실을 말하자면 철학은 양쪽 모두에 해당된다. 철학은 보편적
인 동시에 개인적이다. 그도 아니면 최소한 이 두 차원 모두
에 참여하기를 원한다. 그러나 잘 알다시피, 보편적인 것과
개인적인 것은 서로를 배제한다. 우리가 자기 자신에 대해 말
할 때 다른 모든 사람에 대해 말할 자격을 얻지 못하는 것과
같다. 철학의 패러독스는 바로 이 낯선 상황에서 비롯된다.

즉, 개별적인 동시에 일반적일 수 없음에도 철학은 두 차원 모두를 동시에 취하고자 한다. 철학은 서로 대립적인 이 두 차원을 하나로 일치시키려고 한다.

철학의 이런 측면이 사람들의 화를 돋우기도 한다. 독자들은—지금 이 책을 읽고 있는 여러분도 포함해서—때로 철학서의 저자를 붙잡고 다음과 같이 따지고 싶은 유혹을 느낀다. 도대체 지금 누구에 대해서 말하고 있는 것인가? 당신 자신인가, 인간 일반인가? 이 질문은 이중적인 담론으로서 철학이 갖는 애매함을 보여 준다. 철학은 오로지 개인적일 수만은 없다. 그럴 경우 전기나 소설 같은 것이 되어 버릴 테니까. 그렇다고 완전히 보편적일 수도 없다. 그럴 경우 과학과 구별되지 않을 테니까. 철학적 언설은 두 극단 사이를 진동한다. 이를테면 일기^{日記}와 민법^{民法} 사이에서 흔들린다. 철학은 더 자주 개인적 감정을 쏟아 내고 싶어 하지만 그럴 만큼 낯짝이 두껍지 못하다. 철학은 또한 법률을 제정하고 싶어 하지만 그럴 만큼 대담하지도 못하다. 철학자는 사실상 모두에게 잘 알려진 패러독스 위에 논리적 구조물을 세우는 논리학자와 같다.

좋은 예는 얼마든지 있다. 하이데거는 자신의 모든 존재론적 분석을 불안이라는 개념과 그 불안이 인간과 죽음의 관계에 대해 말해 주는 것 위에 정초했다. 그러나 이 하이데거적 불안은 개인적인 정서에 해당한다. 한편에는 파스칼, 키르케고르, 시몽동이 정의한 불안에서부터, 《정신질환 진단 및 통계 편람^{DSM}》[20]에 규정된 불안까지 다양한 불안이 존재하지만 이런 한계적 경험과 무관한 삶 역시 존재한다. 하이데거 이론의 특징은 한 인간의 경험에서 출발한다는 것이다. 그러나 이 경험이 모든 인간을 대표하는 보편적인 예가 될 수 없다는 반박이 충분히 가능하다. 철학적 인류학은 그토록 개인적인 정서 위에서는 정초될 수 없다. 하지만 20세기 철학자들 상당수가 이 고향을 상실한 철학자가 자신의 개인적인 불안을 보편적인 정서로 탁월하게 변형시키면서 새로운 인간상을 창조해 낸 방식에 많은 영향을 받았다. 개인적 불행을 새로운 교의^{敎義}의 첫 구절로 삼는 것은, 그게 사람들의 마음에 들든 안 들든 상관없이, 확실히 대단한 기술 혹은 효과적인 소통 방식이라고 할 수 있다.

장 자크 루소라는 훌륭한 철학자에 대해서도 마찬가지 이야기를 할 수 있을 것이다. 이 뛰어난 작가가 주제로 삼은 것은 바로 자기 자신이었다. 이를테면 장 자크가 루소에게 분석의 소재를 제공해 준 것이다.[21] 모든 게 개인적으로 체험하고 느낀 것이다. 날짜와 장소도 기록되어 있다. 그러나 여기서 문제가 되는 것은 인류 전체이다. 루소는 자신의 개인적인 삶 한가운데에서 보편성으로 통하는 길을 찾아낸다. 그는

20 *Diagnostic and Statistical Manual of Mental Disorders*: 미국 정신의학협회 American Psychiatric Association가 출판하는 서적으로, 정신질환 진단 기준으로 널리 사용되고 있다.
21 장 자크 루소 저, 진인혜 역, 《루소, 장 자크를 심판하다-대화》, 책세상, 2012. 참조.

자신의 존재 조건을 통해 인간 존재의 본질을 묘사했다. 인
간들을 더 잘 묘사하기 위해서는 그들로부터 멀리 떨어져 있
어야 할 때도 있었다. 이 스위스의 천재 철학자는 또한 자신
의 내면에 대한 훌륭한 관찰자였다. 반면 데카르트의《정념
론*Passions de l'âme*》을 펼쳐 보면, 평소에는 날카로운 통찰력을 보
여 주던 이 철학자가 이 책에서는 별 참고 자료도 없이 웃음
과 슬픔, 비겁함 등에 대해 소박하게 기술해 놓은 것을 볼 수
있다.《정념론》한 권보다 스탕달이 사용한 스무 개 정도의
형용사가 심리적 섬세함을 더 잘 묘사했다고 말할 수 있을 정
도이다. 협소한 개인적 경험으로부터 그토록 교조적인 이론
을 도출해 내려 한 그의 의도가 궁금할 따름이다. 어쨌든 중
요한 것은, 철학에 있어서 개인적인 것과 보편적인 것의 관계
는 너무도 자유로워서 모든 것이 가능해 보인다는 점이다.

　우리는 모순의 한가운데에 있다. 철학을 굳건하고 지속적
인 토대 위에 구축하거나 마치 그것을 과학인 양 취급하는 이
들을 보면 나는 웃음을 참을 수가 없다. 도대체 그런 일이 무
슨 소용이 있을까 하는 의문이 든다. 온갖 일화들과 기분, 실
망감, 우정, 공모 관계 등, 한마디로 인간적인 것에서 재료를
얻는 학문 분과를 어떻게 과학으로 변형시킬 수 있겠는가?
여기서 대상이 되는 것은 고유한 한 사람으로서의 인간이다.
그의 존재는 일시적이고 덧없으며 그 무엇과도 똑같지 않기
때문에 흥미로운 것이다. 다시 말해, 고유한 존재인 것이다!
철학자의 재능은 바로 이 고유한 것으로부터 일반적인 것을

도출해 내는 데 있다. 그는 개별적인 것을 보편적인 것으로
변형시킨다. 그는 아무것도 없는 상태에서 출발하여 운이 좋
으면 거의 모든 것을 차지할 수 있다. 그의 재능, 대담함, 논
리에 대한 경멸, 이성에 대한 부정 등, 한마디로 표현하면 그
의 맹목성이 그의 눈을 뜨게 해준 것이다. 그는 자신의 마을
을 한 번도 떠난 적이 없으면서 거창하게 세계를 묘사한다.
그는 지난 20년 간 누군가의 어깨조차 쓰다듬어 본 적이 없
으면서 육체적 사랑에 관한 대작을 집필한다. 그는 매일 자
기 개하고만 산책하면서 인간 존재에 대해 논한다. 그러나
논리를 사랑하는 이들의 눈에는 참으로 기이하고 놀랍게 보
이겠지만, 그들의 말은 정확할 수도 있다. 물론 실패하는 경
우도 많다. 세계를 묘사하면서 촌뜨기의 분위기를 풍길 수도
있고, 사랑을 논하면서 육체적 관계에 대해서는 한마디도 언
급하지 못할 수도 있다. 인간의 말을 하려고 하는데 자신이
산책시키는 개처럼 짖는 소리만 나올 수도 있다. 이처럼 실패
는 분명 존재하지만 그 덕분에 소수의 성공이 더 돋보일 수
있는 것이다.

이 성공의 예들은 우리에게 철학의 세 번째 욕망, 즉 **자신
을 안다**는 것이 얼마나 중요한지를 보여 준다. 잘 들여다보
면 철학의 성공 가능성이 바로 이 근본적인 작업에 달려 있음
을 알 수 있다. 이 작업은 과정의 비논리성을 가려 주고, 이성
의 관점에서 보면 터무니없어 보이는 보편화를 흥미 있고 신
뢰할 수 있는 것으로 만들어 준다. 대립적인 것들의 일치, 즉

패러독스가 존재한다. 개별적인 것과 보편적인 것이 서로 결합된다. 그러나 우리는 어떻게 그것이 가능한지 잘 알지 못한다. 자신을 알고자 하는 욕망이 그 비밀을 푸는 열쇠이다.

우리가 자신의 삶에 대해 진지하고 명료한 인식을 얻기 위해 내면을 더 깊이 탐구하면 할수록 우리는 자신에 대한 지식으로부터 타인에게도 소용이 되는 진리를 도출해 낼 가능성을 확장하게 된다. 사실상 거의 모든 철학에 포함되어 있는 이 과정은 **너 자신을 알라**는 말로 표현된다. 이 말을 가장 먼저 한 철학자는 탈레스였고, 뒤이어 소크라테스는 이를 삶의 원칙으로 삼았다. 성 아우구스티누스, 몽테뉴, 루소, 니체, 얀켈레비치 등의 철학자들도 자신을 관찰하면서 이를 실행에 옮겼다. 마치 보편적인 것이 개별적인 것 속에 존재하는 것과 같다. **나는 존재한다**는 지극히 개인적인 명백함을 주의 깊게 살펴보면 존재 일반에 대해 무언가를 확인할 수 있게 되는 것처럼 말이다.

이 사실을 이해하는 데 논리는 별 도움이 안 된다. 그렇다면 어떻게 설명해야 할까? 대우주와 소우주 사이의 유비를 가정하는 연금술사들과 마찬가지로, 세계의 일부에 대한 지식이 세계 전체에 대한 지식을 가르쳐 준다고 해야 할까? 가능한 대답이다. 다만 이런 유비가 가능하려면 모든 것을 상징으로 보는 존재론이 전제되어야 한다. 혹은 자신에 대한 지식을 통해 우리가 자신의 본질, 즉 보편적인 본질에 도달할 수 있다고 봐야 할까? 역시 가능한 대답이다. 물론 그 본질은 여전히 신비로운 것으로 남을 테지만 말이다. 그도 아니면, 과정 자체의 진실성 때문은 아닐까? 자신에 대한 진실하고 양도 불가능한 앎은 그 어떤 상상적인 작품들보다 더 설득력이 있지 않을까? 그럴 수도 있다. 그 경우 진실성은 철학의 가장 근본적인 덕목이 될 것이다.

확실한 것은, 자신에 대한 지식과 함께 삶과 사유의 관계는 서로 구별되지 않을 정도로 긴밀해진다는 것이다. 해명의 작업은 어떻게 하나의 사유가 삶을 규정짓고 우리가 살아 낸 경험이 이론 속에 반영되는가를 설명함으로써 삶과 사유의 관계를 드러내 보여 준다. 해방의 작업은 이보다 더 멀리 나아간다. 해방은 부적절하게 잘못 내려진 해석으로부터 **나는 존재한다**는 사실, 즉 삶을 구출해 내는 작업이다. 자신에 대한 인식 작업 속에서 이제 관건은 삶과 사유의 일치이다. 도대체 자신에 대한 지식이란 무엇일까? 그것은 지금, 여기 존재한다는 게 도대체 무엇을 의미하는지를 알고자 하는 사유 행위이다. 여기서 우리는 이론으로부터 어떤 도움도 기대할 수 없다. 바로 이 삶, 이 고유한 삶에 대해 생각해야 한다. 이 삶에서 출발해야 한다. 이 삶으로부터 사유해야 한다. 자신을 안다는 것은 자신의 삶으로부터 하나의 사유를 도출하는 것이다. 이제 오로지 개별적인 것만 존재한다. 삶과 사유는 서로를 반영하고 서로를 마주본다. 삶과 사유는 이제 동등한 수준을 획득했다. 데카르트가 말한 것처럼 둘 중 하나가 다른 하나에서 비롯되는 것이 아니다. 삶과 사유는 동시적으로 존재한다. 나는 생각한다. 나는 존재한다. 이 두 명백함은 하나가 된다. 자신에 대한 지식은 두 대립물의 완전한 일치를 실현한다.

그러나 이 지식만 있으면 어떤 확실성 혹은 토대 구실을 하는 제1의 진리 같은 것에 도달할 수 있으리라는 환상은 버려야 한다. 내가 하나의 욕망 혹은 작업으로서 자신에 대한 지식에 대해 말한 것은 그 속에서 일종의 과정 혹은 탐색을 보았기 때문이다. 이 과정은 매우 중요하지만 우리가 접근하고자 하는 이 '자신'의 현실에 대해 어떤 것도 미리 설명해 주지는 못한다. '자신을 안다'는 말에서 문제가 되는 것은 바로 이 '자신'이다. 자신이란 바닥없는 우물과도 같다. 인간은 언제나 자기 자신으로부터 도망친다. 그는 자신의 내면에 다가간다. 그는 자신을 바라보고, 자신을 살펴본다. 그는 겉모습의 이면에 하나의 진리, 그 자신만의 진리가 숨어 있음을 예감한다. 그러나 그 진리에 도달했다고 믿는 순간 그것은 모양을 바꾸거나 사라져 버린다. 자신을 알고자 하는 소중한 노력은 일시적인 결과만을 얻을 뿐이다. 그것은 끊임없는 시도일뿐 손에 넣을 수 있는 결과물이 아니다. 니체는 《반시대적 고찰》 3권에서, "토끼에게 일곱 겹의 가죽이 있다면, 인간은 일곱의 일흔 곱의 가죽을 벗기더라도 '이것이야말로 진짜 너다. 이것은 더 이상 가죽이 아니다'라고 말하지 못할 것"이라고 했다.

어쩌면 가면을 모두 벗겨 내도 그 이면에는 아무것도 없을

지 모른다. 가장 소중하고, 가장 갈망의 대상이 되는 진리는 진리의 가능성에 가장 큰 의심을 던지는 진리이다. 마치 가까이 다가갈수록 모습을 감추는 신기루처럼 지식의 불 속에서 자아는 점점 희미해진다. 사소한 염려가 결정적인 중요성을 띠기도 한다. 특정 단어가 계속 귓전을 맴돌지만 쫓으려고 해도 소용이 없다. 또는 이상하게도 기억 하나가 고집스럽게 떠오른다. 이윽고 평화가 찾아오고 이어서 영혼의 주위를 맴돌며 주위를 다른 곳으로 돌리게 만드는 내면의 소음도 잦아든다. 그 상태는 보들레르가 〈여행에의 초대〉에서 "영혼의 모국어"[22]라는 말로 탁월하게 묘사한 시원적인 분위기 대신 침묵과 망설임에 불과할 때가 많다. 자신을 알려고 애쓰는 것보다 자신을 꿈꾸는 편이 더 나을지도 모른다. 남자와 여자가 서로를 여행에 초대하는 방식 속에서 그들은 그들 자신과 가장 닮아 있지 않은가? 자신에 대한 꿈은 자기표현을 위한 말을 찾아 낸 자기 지식이다. 자신의 신기루 대신 이 꿈은 이상적인 나라를 만들어 낸다. 이 나라는 궁전이 몇 개이고 운하는 어떻게 생겼는지 묘사할 수 있을 만큼 구체적인 모습을 띤다. 나의 실재가 어차피 환상적인 것이라고 한다면, 환상을 받아들이고, 지식이 더 이상 수행하지 못하는 임무를 상상에게 넘기는 게 나을지도 모른다. 이 점은 철학의 다섯 번

---

22 "그곳에선 모든 것이 영혼에게/감미로운 모국어를 속삭이리라"라는 구절이 나온다.

째 기능, 즉 **탐색하기**에서 더 잘 드러난다. 탐색은 미래의 가능성을 위해 매우 본질적인 기능을 수행함에도 너무 자주 그 중요성이 간과된다.

여기서는 우선 자신을 안다는 것의 어려움 때문에 어떤 결과들이 생기는지를 살펴보자. 나는 자신을 아는 과정을 통하지 않고 철학을 한다는 것은 불가능하다고 생각한다. 그러나 모든 사람이 내 의견에 동의하지는 않는 것 같다. 물론 소크라테스의 이 격언을 공개적으로 무시하거나 비웃는 철학자는 거의 없다. 차라리 그랬다면 상당히 흥미로웠을 텐데 아쉽다. 그러나 실제로는 상당수 철학자들이 자신의 생각이나 감정에 별로 주의를 기울이지 않는다. 때로 진리는 머릿속에만 머무를 뿐 뱃속까지 내려오지 않는다. 가수가 내는 목소리에는 두 가지 종류가 있다. 머리로 내는 소리는 문외한들이 듣기에는 대가의 음성처럼 들릴 수도 있지만 가수를 목 쉬게 하고 청중을 지치게 한다. 그와 달리 존재의 중심까지 내려가서는 온몸을 사용하여 진동하고 퍼지면서 감동을 주는 목소리도 있다. 이와 마찬가지로 철학에도 머릿속 진리와 뱃속 진리가 있다.

머릿속 진리는 항상 고루한 분위기를 풍긴다. 저자가 나이가 많아서가 아니라 진실성이 없기 때문이다. 머릿속 진리는 그것을 가르치는 사람과 공명하지 못한다. 그가 만약 욕망에 대해 말한다면 우리는 그가 과연 한 번이라도 사랑을 해본 사람일까 의심한다. 그가 만약 지각에 대해 논한다면 우리는 그가 암흑 속에서 살고 있는 건 아닌지 자문한다. 요즘 주석가들만 급속도로 늘어나고 있는 현상은 부분적으로 지나치게 정신적이기만 한 진리가 지배적인 위치를 점하고 있음을 보여 준다. 말▪들은 닻을 내리고 정박할 몸을 찾지 못한 채 정보의 대양 위를 끝없이 떠다닌다. 대학도 언론도 머릿속 진리를 뱃속으로 **끌어내리려는** 노력을 펼치지 않는다. 아마도 그럴 여유가 없을 터이다. 그러나 우리는 오직 뱃속의 진리만을 신뢰할 수 있다. 그 진리들은 하나의 삶을 대변한다. 반항하고 저항하는 이 진리들이야말로 우리를 보편적인 것의 반복이 주는 지루함에서 벗어나게 해준다.

자신을 알고자 욕망하는 것은 기본적인 철학적 작업에 속한다. 철학이 자신을 알아야 한다는 필요성을 제기할 수 있다면 그것만으로도 상당히 쓸모가 있는 것이다. 결국 자기 자신을 알지 못하게 되더라도 상관없다. 내적 경험은 각 개인을 변형시킨다. 그 경험은 의식적 삶을 풍부하게 만들고 새로운 길을 개척하고 새로운 동굴을 발견할 수 있게 해준다. 우리 모두는 결국 각자의 동굴 속에 살고 있지 않은가.

여기서 이 경험은 우리에게 질문을 하나 던진다. 잠자리에 누우면 오랫동안 머릿속을 맴도는 그런 질문이다. "자, 말해보라. 이 삶은 당신에게 무슨 의미가 있는가?" 결국 자신을 안다는 것은 이 질문을 만나고 그것을 감당한다는 것을 의미한다. 이 질문을 견디고 이 질문이 우리에게 제공하는 약속을 감지하는 것, 즉 이 질문이 불러일으키는 현기증과 이 질문이 우리에게 부여하는 자유를 동시에 맛보는 것이다. 무언가 할 말이 있을 것도 같다. 그러나 정확한 말을 찾는 게 여간 어렵지 않다. 사랑을 나눈 후에 마치 정지된 시간을 다시 움직이듯 침묵을 깨고 뭔가 말해야 할 것만 같은 순간과 비슷하다. 적절한 말이 떠오르지 않는다. 그냥 잠자코 있다. 그편이 더 낫다. 천사가 지나간다.[23] 이 삶의 의미는 뭘까? 말없이 지켜보기만 한다. 뭐라고 대답해야 하나? 질문이 표현의 가능성을 무화시켜 버린다. 분명 생각은 있지만 말로 표현해 내지 못한다. 자기 내부로 침잠하여 침묵을 지킬 따름이다. 이런 질문은 질문 그대로 즐기는 편이 낫다.

존재와 사유로부터, 둘의 가장 내밀한 만남에서부터 삶의 가치에 대한 질문이 제기된다. 드디어 이곳까지 온 것이다. 이곳이 철학의 중심이다. 우리는 욕망하고, 해명하고, 해방하고, 자신을 알고자 애쓰고, 행동한다. 그리고 문득 동굴 속에서 그리스적 질문, 아폴론의 신탁을 받은 무녀의 질문을 듣는다. 너에게 이 삶은 어떤 의미가 있는가? 그리고 다시 침묵. 이 질문을 즐기는 것이야말로 진정으로 현명한 방법일 것이다. 대답하지 않는 편이 낫다. 이 질문은 길들이기 어려운 새와도 같다. 붙잡으려고 하면 날아가 버린다. 그냥 이 질문을 지닌 채로 살아가는 편이 낫다. 답이 없는 질문을 평생 대면하는 것이다. 굳이 서두른다면 어떤 식으로든 대답할 수는

---

23 프랑스어로, 잠시 침묵이 흐르는 순간을 이렇게 표현한다.

있겠지만 그렇게 하지 않는다. 서두르는 건 별로 좋은 생각이 아니다. 침묵을 즐기는 게 낫다. 철학의 중심에서는 어떤 말도, 어떤 개념도 움직이지 않는다. 한 줌의 바람이 이 질문을 스쳐 지나간다. 무슨 일인가가 벌어진다. 무슨 소리인가가 들린다. 하나의 관계가 끊어진다. 이제 큰 바람이 불기 시작한다. 철학의 중심에서 부는 바람이다. 우주적인 차원을 획득한, 존재하는 내가 내쉬는 숨이다. 이 삶의 의미는 무엇인가? 하늘에 구름이 한 점 지나간다. 참으로 아름다운 구름이다.

4. 전달하다

모호한 개념들이 이해 불가능한 문장들의 늪 위를 떠다닌다. 명료하지 못한 글은 독자를 지치게 한다. 난해함 자체가 목적이라면 그의 작업은 나름 일관성을 갖고 있다고 볼 수도 있다. 하지만 아무것도 전달하고 싶지 않다면 도대체 왜 글을 쓰는 것일까? 자기도취? 유행? 시간 죽이기? 혹은 대학이 부과하는 의무 때문에? 무언가를 분출하기 위해?

철학은 매우 다양한 것으로부터 영감을 얻는다. 만남, 체험, 독서, 명상, 자기 성찰, 싸움과 욕망 등 어느 것이라도 상관없다. 그러나 공식적으로 외면화하는 작업 없이는 영감도 소용이 없다. 즉 날숨^{expiration}이 있어야 들숨^{inspiration}[24]도 가능해지는 것이다. 이것이 바로 전달이라는 작업이다. 숨을 들이쉬고 내쉬는 행위는 우리가 우리 자신에게 다가갔다가 거기서 발견한 것을 밖으로 확산시키는 반복적인 순환 과정의 양극에 해당된다.

24 프랑스어 'inspiration'은 '영감'이라는 뜻 외에도 '들숨'이라는 뜻이 있다.

철학에 있어 전달은 부차적인 작업이 아니다. 전달은 철학의 중심이다. 그래서 철학의 일곱 단계 중 네 번째에 위치한다. 전달 작업은 세계를 자신 쪽으로 끌어오는 세 가지 작업 뒤에 위치하면서 동시에 이제는 자신으로부터 출발하였다가 변형된 형태로 다시금 세계로 되돌아오는 세 가지 작업 앞에 위치한다. 전달은 개인과 공동체, 내면과 그것의 표현 사이를 이어주는 접속의 작업이다.

한마디로 나는 무명 철학자의 신화 따위는 믿지 않는다. 아무 말도 하지 않고, 가르치지도, 글을 쓰지도 않았던 익명의 천재가 있었다고 한들 무슨 소용이랴. 나는 이런 식으로 철학을 할 수 있을 거라고 믿지 않는다. 사람들은 농담 삼아, 군대 행정 관리만 잘 이루어지면 무명용사는 존재하지 않을 거라고 말한다. 그렇다면 철학자 등록 명부를 잘 관리하기만 한다면 무명의 철학자는 한 명도 없을 것 아닌가. 하지만 무명 철학자의 신화를 믿을 수 없는 더 구체적인 이유가 존재한다. 철학은 그것이 표현되지 않는다면 사실상 아무것도 아니다. 사적인 철학이란 존재하지 않는다. 철학은 내면적인 앎이 아니다. 철학은 신비로울 게 하나도 없으며, 비밀 정원이나 숨겨진 보물, 스위스 비밀 계좌 같은 게 아니다. 오직 한 개인만의 소유로 남을 수 있는 철학은 없다. 철학은 근본적으로 전달되고 공유되어야 할 학문 분과이다. 철학은 너무 오랫동안 침묵 속에 머물 수 없다.

어쩌면 바로 이 지점에 지혜의 세계와 철학적 영역을 가르

는 분리선을 그어야 할지도 모른다. 현자賢者에게는 전달의
의무가 없다. 물론 말하기를 좋아하는 현자들도 있겠지만
대부분은 자신의 지혜와 하나가 되는 데만 집중하며, 이기적
으로 혼자서만 지혜를 누리기도 한다. 그가 만약 입을 연다
고 해도 우리가 그의 말을 이해할 수 있으리라는 보장은 없
다. 그는 진리를 발설하는 대신 예언, 신탁, 패러독스 등을
통해 진리로 향하는 길을 가리키기만 한다. 그도 아니면 몇
몇 선승禪僧처럼 아예 입을 닫아 버리기도 한다. 그는 자신의
온 삶을 바쳐 요가 수행자처럼 명상을 하거나, 연금술사 혹
은 수도승처럼 기도하고 노동하며 살 수도 있다. 단지 바보
나 실어증 환자를 현자로 착각하는 사람들도 있을 수 있다.
지혜가 살아 있고, 지혜가 존재하기만 한다면 수단 따위는
별로 중요하지 않다. 현자는 존재의 세계 속에서 살아가면서
지혜가 존재한다는 것을 몸으로 증명한다. 그는 스스로를
지혜의 전달자이자 추종자로 삼는다. 현자는 진리를 전달하
는 대신 초월적인 차원을 자신 속에 받아들여 삶을 개혁하고
자 하는 이들에게 진리의 존재를 가리켜 보여 준다.

  사람들은 자주, 존재하는 것이 소유하는 것보다 중요하
다고 말한다. 철학이란 중요하고 비물질적인 것이기 때문에
당연히 소유가 아니라 오로지 존재하고만 관련되어 있다고
생각할 수도 있다. 자기 자신이 곧 진리라고 믿게 할 수 있는
현자는 존재의 영역에서 살아간다. 그러나 철학자에겐 이런
욕망이 없다. 철학자에게는 계시나 신비에서 비롯되는 것이

아무것도 없다. 그는 차라리 특정한 형태의 진리를 얻고자 애쓰는 일꾼 혹은 사냥꾼의 모습에 가깝다. 어떤 생각인가가 떠오르면 철학자는 생각을 하나 **붙잡고 있다**고 말한다. 쉿, 진리가 미끼를 물었다. 이제 나는 새로운 진리를 **갖고 있다**. 진리는 사실상 철학자가 소유했다가 잃게 되는 재산 같은 것이다. 위대한 철학자들은 몇 개의 관념들을 소유하며 그 사실을 숨기지 않는다. 그는 그 관념들을 무상으로 제공한다. 그는 과일을 눌러 짜서 과즙을 내듯 관념들을 부린다. 그렇다고 부자가 되는 것은 아니다. 소유의 세계와 돈의 세계를 꼭 동일시할 필요는 없다. 철학자는 돈은커녕 골치 아픈 문제들만 얻게 될 수도 있다. 철학자는 진리를 소유하며 그것을 사용한다. 소유의 영역에 속하는 모든 것이 그렇듯 관념들은 변형되고, 낡고, 시대에 뒤떨어진 것이 될 수 있다. 삶과 이론의 게임은 언제나 삶의 승리로 끝난다. 이론은 그 대가를 치른다. 게임에 참여하는 철학자에겐 큰 즐거움이 아닐 수 없다.

진리의 소유자는 구두쇠가 아니다. 그는 자신이 발견한 것을 관대하게, 실컷 베푼다. 진리가 포착되고, 구축되고, 순환하고, 통과하는 것, 한마디로 전달되는 것이라는 사실을 가장 이상적으로 구현한 철학자는 디드로였다. 《백과전서 *Encyclopédie*》 같은 방대한 저술뿐 아니라 틈틈이 써낸 짧은 글들, 논문들, 다른 이름으로 발표된 예술 비평이나 단문들을 통해서 그는 전달 없이 사유가 불가능하다고 믿는 철학자들의 상징과도 같은 존재가 되었다. 이 주제와 관련된 좋은 예가 하나 있다. 디드로가 자신의 인생에서 너무도 큰 분노에 사로잡혀 통한의 눈물을 흘렸던 것은 한 여인 때문도, 누군가의 죽음 때문도 아니었다. 그를 배신한 한 명의 출판업자 때문이었다. 르브르통이라는 이름의 그 출판업자는 이후의 사태가 두려워 《백과전서》 인쇄 원고 중 가장 대담하게 기술된 구절들을 몰래 삭제해 버렸다. 디드로는 그 사실을 초판 인쇄본을 받아 보고 나서야 알게 되었다. 삭제된 부분까지 모두 실렸더라면 작품의 위대함은 더욱 빛을 발했을 터였다. 디드로는 모든 철학자들이 결정적인 순간에 그렇게 하듯이 펜과 종이를 집어 들었다. 그리고 자신의 직업적 소명뿐 아니라 《백과전서》 집필 계획의 핵심이라 할 수 있는 지식의 전달이라는 임무를 배반한 그 출판업자에게 경멸로 가득 찬 편지를 썼다. "당신은 스무 명의 정직한 사람들이 선과 진리에 대한 사랑으로, 자신의 생각들이 출판되고 그 가치를 인정받기를 희망하면서 시간과 재능, 노고를 들여 이룬 일을 모두 망쳐 놓았습니다. 혹은 야만적인 얼간이에게 그렇게 하도록 시켰습니다."

언설의 명료성, 텍스트의 가독성, 전달의 즐거움 등은 사유의 스타일에 속한다. 그것들은 부차적이지 않다. 명료성은 스타일의 부차적인 특성이 아니다. 여기 혜성처럼 등장한 천재 철학자가 있다. 생각한다는 행위 자체를 뒤바꾸어 놓을 만큼 그의 생각이 혁명적이라고 찬양하던 이가 뒤에 가서 슬

그러니 덧붙인다. 단점이 하나 있다면 그 철학자의 글은 전혀 이해가 불가능하다는 것. 철학자 자신도 이해할 수 없을 만큼. 어떤 때는 이해할 수 있지만 어떤 때는 아무리 들여다봐도 이해가 안 되는 식이다. 이런 난해함의 대가들은 얼마든지 있다. 그들은 일테면 사유의 피에르 술라주[25]이다. 검은색 위에 검은색을 덧칠한 그의 그림처럼 모호함 위에 모호함이 덧붙여진다. 그 속에서는 어떤 것도 빛날 수 없다. 칠흑 같은 어둠은 아무것도 반사하지 못한다. 모호한 개념들이 이해 불가능한 문장들의 늪 위를 떠다닌다. 명료하지 못한 글은 독자를 지치게 한다. 더욱이 저자가 사유의 전달과 그것의 수용을 하찮게 생각하는 것은 의식적으로 혹은 무의식적으로 자신의 글이 독자들에게 이해되든 안 되든 상관없다는 메시지를 보내는 것이나 마찬가지이다. 결국 이게 유일하게 명료한 메시지인 셈이다! 그의 무관심한 태도는 그가 소유한 진리가 실은 자기 자신에게만 소용이 있다는 고백에 다름 아니다. 난해함 자체가 목적이라면 그의 작업은 나름 일관성을 갖고 있다고 볼 수도 있다. 하지만 아무것도 전달하고 싶지 않다면 도대체 왜 글을 쓰는 것일까? 자기도취? 유행? 시간 죽이기? 혹은 대학이 부과하는 의무 때문에? 무언가를 분출하기 위해? 저마다의 이유가 있을 터이다.

---

25 Pierre Soulages(1919~): 프랑스의 화가. 초반에는 큐비즘의 영향을 받았으나 뒤로 갈수록 외계의 대상성을 완전히 배제한 순수한 추상 양식을 창조해 나갔다. 검고 굵은 직선이 교차하는 화면 구성이 특징이다.

혼히 명료함은 철학자가 지켜야 할 예절이라고들 한다. 이 격언은 벨 에포크[26]에 더 잘 어울리긴 하지만, 문자 그대로 이해한다면 지금 시대에도 여전히 유효하다. 하지만 잘 생각해 보면 그 반대도 참이 될 수 있음을 알게 된다. 철학자의 모호함은 그 누구도 불쾌하게 만들지 않으며 기존 질서를 흔들지도 않는다. 그나마 몇 안 되는 독자들에게마저 버림받은 모호한 텍스트만큼 안전한 것은 세상에 없다. 따라서 명료함을 철학의 무례함이라고 정의하는 편이 맞을지도 모른다. 사람들을 불편하게 만드는 관념들을 그대로 전달하는 명료함이야말로 철학을 무례한 것으로 만든다. 한 스타일의 명증성은 우선적으로 의도의 명백함으로 간주될 수 있을 텐데, 독자들에게 혐오감을 주는 난해함보다 훨씬 효과적으로 폐쇄적인 시스템 속에 균열을 내는 사유들을 창조해 낼 수 있다.

전달을 위한 스타일은 철학자의 머릿수만큼이나 다양하다. 일차적인 제스처라고 할 수 있는 말뿐 아니라, 대화, 단편, 시스템, 논문, 코멘트 등의 형태로 쓰인 글을 통해서 철학자는 자신의 의도에 따라, 자신이 가진 수단에 따라 전달에의 욕망을 다양한 방식으로 실현한다. 각각의 철학자는 자신의 스타일을 발명한다. 스타일의 창조는 철학의 구상만큼이나 중요한 작업이다. 스타일이란 하나의 사유가 삶을 시

---

26 Belle Epoque: '좋은 시대'라는 뜻으로, 번영과 평화가 이어졌던 19세기 말에서 20세기 초까지의 파리를 가리키는 말이다.

작하는 장소이다. 사유는 처음에 추상적인 무엇이었다. 그것을 표현하는 단어들은 철학자가 스스로를 설득하고 용기를 얻기 위해 속으로 되뇌던 공허한 구호 혹은 상투 어구 같은 것이었다. 하지만 철학자가 입을 열거나 글을 쓰기 시작하는 순간 지금까지 되풀이해 온 이 열쇳말들, 개념들, 혹은 상투 어구들은 드디어 언어 혹은 이미지를 통해 자신들을 펼쳐 보일 장소를 만나게 되고, 그 속에서 고유의 음색, 울림, 음악, 형태 등을 갖추고 삶을 영위하게 된다. 스타일은 개념과 삶을 연결하는 매듭들 중 하나이다. 스타일은 하나의 사유에 형태와 에너지를 부여하고, 그것을 언어 속에 뿌리내리게 함으로써 사유를 구체화한다. 이 언어는 그것이 목소리이든, 글, 혹은 이미지이든 상관없이 우리의 직관과 감성에 말을 거는 매우 물질적인 것이다. 이 언어로 표현되지 않은(추상에 불과한) 사유는 오로지 지성에만 말을 걸 수 있을 따름이다. 스타일이란 우리가 하나의 사유에서 가장 처음 포착하는 것이며, 우리의 기억에 가장 오랫동안 남는 것이기도 하다. 스타일은 부차적인 장식이기는커녕 이론 속에서 삶이 솟아오르는 중요한 지점이다.

이론 속에서 단어, 이미지, 음성으로 육화되어 출현하는 삶은 그것이 타자의 존재를 매개한다는 의미에서 매우 중요하다. 전달하기 위해서는 전달받을 누군가가 필요한 법이다. 우리는 이 사실을 자주 잊는다. 난해함을 즐기는 철학자는 앞에서 보았듯 사유를 구성하는 것은 누군가와 공유하기 위한 것이라는 사실을 모르고 있다. 진리의 변증법적 측면에서 본다면 타자는 그 진리를 수용하거나 반대하기 위해 존재한다. 철학적 전달 과정에서 타자를 망각하는 것은 독백을 좋아하는 이들만의 전유물은 아니다. 스타일 문제에 노예처럼 집착하는 이들도 여기에 포함될 수 있다. 과연 이런 문제들로부터 자유롭다고 자신할 수 있는 사람이 몇이나 있을까? 스타일은 우리를 꼼짝 못하게 만들 수 있는 난감한 문제이다. 스타일은 전달하는 방법이다. 따라서 당연히 타자의 존재를 전제로 한다. 다른 한편으로 스타일은 개인적이고 창조적인 것이기 때문에 근본적으로 자기 자신만이 중요하다. 그래서 최소한 초반에는 불가피하게 저자로 하여금 문법적인 정확성보다는 자기도취적 문제 제기를 더 중요시하게끔 만든다. 누군가에겐 삶의 특정 순간에 자신의 스타일을 찾는 과정이 곧 **나는 누구인가**라고 자문하는 기회가 될 수도 있을 것이다. 이것은 매우 근본적인 질문이다. 이런 순간에 이런 질문을 던지는 것은 스타일이라는 것이 그만큼 생활양식 혹은 운명에 의존하는 것이기 때문이다. 플로베르에게 스타일은 위대한 예술인 동시에 잠재적인 신경증이기도 했다. 그의 《서간집*Correspondance*》을 보면 이 사실이 증후적*symptomatique*으로 드러난다. 우리는 이 글 속에서 부사의 사용법, 볼테르의 《캉디드*Candide*》첫 구절, 문장을 구성할 때 구句의 이상적인 배치법에 대한 플로베르의 생각들을 읽을 수 있다. 그러나 이 문제들은 문학적인 성격을 넘어 좀 더 현실적인 질문들로 연결된다. 이를테면 하루에 몇 시간까지 일어나지 않고 앉아서 일할 수 있는가? 글을 쓰면서 성관계를 맺을 필요가 있을까? 등등. 결국 이 모든 질문들은 노르망디에서 보낸 플로베르 자신의 독신 생활에 대한 성찰로 연결된다. 스타일은 곧 삶이다. 플로베르의 《서간집》만큼 이 사실을 더 명료하게 보여주는 예는 없다. 노르망디에서의 독신 생활이 스타일의 문제가 아니라고 감히 누가 말할 수 있겠는가?

그러나 이 질문들의 자기도취적 측면은 극복된다. 철학자는 작가와 다르다. 이 두 영역에서 타자는 다른 방식으로 존재한다. 물론 서로 겹치는 영역도 있긴 하다. 진리는 변증법적이다. 다시 말해 게임의 대상이 되거나, 전달되고, 수용되고, 논쟁의 대상이 되고, 변형되고, 심지어 반박당하기도 한다. 그러나 글은 다르다. 우리는 형편없는 소설들만을 수정의 대상으로 삼는다. 그 외의 경우는 그냥 즐길 뿐이다.

철학적 스타일이 타자의 현존이라는 문제와 관련이 있는 것은 전달에의 욕망이 다양한 형태로 존재하기 때문이다. 이는 대중 네 개의 형태 즉, 호출convocation, 도발provocation, 호소invocation, 소명vocation으로 나뉜다. 네 경우 모두 부른다는 행위와 관련이 있지만 상대방의 자리를 설정하는 방식에서 차이점을 보인다.

호출의 경우, 상대방은 한 집단의 성원으로 존재한다. 철학자는 자신의 청자가 누구인지 안다. 철학자는 자신의 철학적 명제가 소수의 동아리에 의해서만 받아들여질 수 있다는 사실을 알고 있다. 호출하는 자는 이탈하는 자이다. 그는 자신의 사유를 단절로 이끌고 혁신의 길을 찾는다. 그러나 혼자 외롭게 나아가는 것은 아니다. 그는 자신의 철학적 명제 주위에 사람들을 모으고 그들을 **우리**라고 부른다. 이 명제는 한 학파의 헌장 혹은 한 운동의 기본 사상이 되기도 한다. 후설이 대표적이다. 그는 훗날 현상학자들이라고 불리게 될 공동체를 향해 글을 쓴 것이다. 마찬가지로 윌리엄 제임스는 실용주의 운동에 참여한 이들의 공통점을 명시적으로 언급했다. 백과전서파도 마찬가지였다. 마르크스주의 문헌들 역시 호출의 방식으로 상대방을 존재하게 한다. 마르크스적 사유의 수신자들은 이미 정치적, 철학적 소속감에 의해 하나로 단결되어 있다고 가정된다. 사르트르 역시 **우리**라는 호칭의 사용에 능했다. ―그에게 우리는 실존주의자들을 뜻했다. 사르트르는 창시자이자 선도자로서 약간 구부정한 자세로 이들을 이끌고 앞장서 걸어갔다.

호출과는 반대로, 도발은 특정 가치를 공유하는 독자들의 공동체를 상정하지 않는다. 도발은 반대와 개혁을 위해 사회 전체 혹은 기존 질서를 향해 발언하는 행위이다. 철학자는 말한다. "당신들이 어떻게 살고 있는지 보라!" "이 사회가 어떤 모습인지, 무슨 생각을 하는지 보라!" 도발은 항상 일종의 도전이다. 도발에는 유머가 담길 수도 있다. 적의나 신랄함으로 가득 차 있을 수도 있고, 아이러니나 호의가 담겨 있을 수도 있다. 도발은 한 사회가 사로잡혀 있는 환상을 고발하는 행위이다. 도발의 주체는 자신은 그 환상으로부터 자유롭다고 주장하며 대열에서 이탈하거나, 아니면 자신 역시 집단적 기만의 희생자라는 사실을 인정하는 것 중에서 선택해야 한다. 기술 문명을 비판한 위대한 이론가들은 바로 이러한 도발을 실천했다. 그중 자크 엘륄이 대표적인 철학자이다. 《기술적 대상들의 존재 양식에 대하여*Mode d'existence des objets techniques*》라는 명석하고 창의적인 저서를 쓴 시몽동도 빼놓을 수 없다. 루소, 쇼펜하우어, 니체 역시 사회를 비판하고 그 사회의 한계를 지적한 철학자들이다. 우리는 도발이 대등하지 않은 싸움을 시작한다는 것, 즉 패배를 맛보기 쉽다는 것을 안다. 그러나 어떤 철학자들은 이 싸움을 회피하지 않는다. 그들에겐 전달의 행위가 곧 당신들에 대한 고발의 행위이다.

철학적 전달의 세 번째 형태 속에서 상대방은 우리도 당신도 아니다. 여기서 대상은 신神 혹은 그것의 아바타인 진리, 자연의 빛, 존재 같은 것이다. 철학자는 자신이 제시하는 명제의 진실성을 보장해 줄 초월성에 호소한다. 호소의 대상은 인간이 아니다. 진리를 보장하는 신성이 기준이 된다. 철학자는 마치 모세가 계율이 적힌 석판을 받았듯이 신으로부터 직접적으로 영감을 받아 새로운 학설을 인간들에게 전해 주는 존재인 셈이다. 이 전달 방식 속에서는 3인칭 단수ii가 주인공이 된다. 철학자는 그의 도움으로 어떤 신비를 꿰뚫거나 문제를 풀 수 있을 것이라고 생각한다. 그는 곧 진리이므로 그에게 호소하고 복종하는 철학은 필연적으로 참일 것이다. 지금보다 덜 다원주의적인 사회에서는 이 호소의 방식이 철학적 전달의 가장 일반적인 형태였다. 플로티노스, 초기 기독교의 교부들뿐 아니라 몇몇의 위대한 현대 철학자들은 신의 이름을 내세웠다. 그들은 신의 절친한 친구이자 통역사였다.

전달의 상대를 친구, 형제, 누이, 동포, 독자로 부르는 경우도 있다. 저자가 반드시 그들을 실제로 알아야 할 필요는 없지만, 그들을 명칭 그대로 간주해도 무방하다. 상대는 고유한 한 여성 혹은 남성이다. 그들을 하나의 집단으로 묶어서 **우리**라고 부를 필요도 없고, 비난받을만한 행동을 한 사람들의 전형으로서 **당신들**이라고 부를 필요도 없다. 초월적인 존재와 나눈 대화의 증인으로 그들을 내세울 필요도 없다. 대신 자유로운 존재끼리 동등한 입장에서 대화하는 것이다. 이것이 소명의 형태이다. 한 명의 **내**가 한 명의 **너**에게 말한다. 나는 아직 반말을 쓰는 데 주저한다. 나와 네가 아직 모르는 사이이기 때문이다. 하지만 서로 친하다고 믿어야 할 이유는 전혀 없다. 새로운 가족을 만드는 것이 목적은 아니기 때문이다.

철학에서 가장 소중한 관계인 공모 관계가 여기서 탄생한다. 철학자는 하나의 소명이 자신에게 동기를 부여한다고 말한다. 그는 공모자를 상상하고, 신뢰감을 구축한다. 그는 자신이 너무 많은 사람들을 대상으로 발언하고 있는 건 아닌지 걱정하며, 자신이 소유한 진리가 올해 겨울을 넘길 수 있으리라고 믿지 않는다. 시간은 불필요한 것들을 제거한다. 삶은 이론을 압도한다. 그런데 어찌 우리가 완전하다고 믿을 수 있겠는가? 어찌 단어의 물푸개로 현실의 대양을 옮겨 담을 수 있다고 믿을 수 있겠는가? 소명은 단편^{斷片}의 형태로만 자신을 표현한다. 나는 불완전한 존재이다. 이 작품은 단편적이거나, 미켈란젤로의 몇몇 조각처럼 미완성 상태인 논 피니토이다. 이는 작업을 해나감에 따라 순백의 대리석 속에서 검은색 결들이 드러나게 되어 있기 때문이 아니다. 그렇다고 태만의 결과도 아니며, 무한한 이상이 훌륭한 수단을 통해 모습을 드러낸 것도 아니다. 미켈란젤로의 논 피니토는 이 후자의 원인과 관련이 있을 터이지만, 철학적 소명의 작품이 논 피니토가 되는 것은 더 간단한 이유 때문이다. 철학적 소명의 작업이 단어들과의 관계를 구축해 나가면서 **나**의 사유 속에 상상의 공모자에게로 가는 길을 내는 것이라고 한다면, 현실을 언어 속에 구속하고 완결성을 얻고자 욕망할 이유는 전혀 없다. 반대로 이 과정 속에서 현실은 점점 더 넓게 확장되어 간다. 단어들은 사용하면 할수록 점점 힘을 잃는다. 단어들은 세계의 거울이다. 삶이 한 벌의 옷이라면 이론은 옷의 안감과 같다. 이론을 제대로 검토해 본 후 그것이 최상의 상태임을 확인했을 때―옷의 안감이 진짜 실크를 사용하여 제대로 재봉되어 있음을 확인했을 때처럼―우리는 이 옷을 뒤집어 겉감을 확인하듯 진짜 현실을 확인하고 싶어 한다. 이론은 우리를 삶으로 되돌아가게 해준다. 그것이 새로운 삶이라면 더할 나위가 없을 것이다. **새로운 삶이 시작된다**^{Incipit vita nova}.[27] 우리는 단테의 이 시 구절을 자신이 가장 소중하게 생각하는 책의 끝머리에 적어 놓을 수 있을 것이다. 바로 이 메시지야말로 위대한 소명을 실천한 철학자들이 창조하고 전달하고자 한 것이다. 몽테뉴, 파스칼, 루소, 볼테르, 니체뿐 아니라, 더 최근에는 바슐라르, 얀켈레비치, 파토치카, 들뢰즈와 같은 철학자들이 이 메시지를 전달하는 데 성공했다. 새로운 방식으로 살고 싶다는 철학자의 욕망이야말로 그들이 미래를 탐색하는 목적이 된다.

---

27 단테의 시, 〈신생*Vita nova*〉의 첫 구절.

5. 탐색하다

탐색은 낮 동안의 연구가 끝난 후 황혼이 찾아올 때
졸린 이성을 흔들어 재우는 몽상 같은 게 아니다. 파
스칼은 상상력을 "인간의 실망스러운 부분으로서 오
류와 허위의 주관자"라고 명명하면서 경계했다. 그러
나 인간의 구원에 대해 그보다 더 많은 상상을 했던
인물은 없었다. 상상은 철학적 활동이 가장 유용하면
서 동시에 가장 위험하게 전개되는 영역이다. 사유는
삶의 새로운 가능성을 탐색한다.

베르그송은 여러 글을 통해서 20세기 대부분의 철학자들이
소홀히 하던 현상에 대해 탐구했다. 이른바 초심리학
parapsychology이라고 불리던 분야였다. 베르그송처럼 합리적
이고 비판적인 정신의 소유자가 텔레파시, 환각, 예지몽, 기시
감déjà vu, 사자들과의 소통, 임사 체험Near-Death Experiences,
NDE 등에 대해 고찰했다는 사실은 참으로 흥미롭다. 윌리엄
제임스와 주고받은 서간문을 보면, 베르그송은 이런 주제들
에 대해 일시적으로만 관심을 보인 게 아니라 그것들로부터
지속적으로 영감을 받았다. 베르그송은 1913년 런던의 심령

연구협회Society for Psychical Research 회장에 추대되었으며, 오늘날의 지식인들이 경멸할 만한 주제들에 대해 평생 동안 관심을 기울였다. 여기서 잊지 말아야 할 것은 발자크, 모파상, 프로이트, 융, 헉슬리, 그리고 수많은 공상과학 소설가들 역시 이런 주제들과 관련하여 끊이지 않던 논쟁에 참여했다는 사실이다.

베르그송은 '살아있는 사람의 유령과 심령 연구'라는 주제로 열린 강연회에서 우리 문명이 역학보다 심리학에 더 관심을 기울였더라면 어땠을까 상상해 볼 것을 제안했다. 우리 문명이 물질에 대한 기술을 발전시키지 않았다면, 과학과 기술의 진보, 그리고 그 결과로 형성된 삶의 양식에 더 큰 가치를 부여하지 않았다면 어땠을지 상상해 보라. 이를테면 물질 세계와 관련해 뉴턴이 그랬듯 우리의 영혼과 관련해 천재적인 선구자가 등장하여 우리 문명이 인간이 경험하는 크고 작은 심리적 현상들을 이해하려는 노력에 집중했더라면 어땠을까? 그랬더라면 환각 현상을 연구하는 연구소가 생기고, 몽환증 연구와 관련된 학위가 생겼을지도 모른다. 그리고 대학에 임사 체험과 관련된 수업이 개설되고, 콜레주 드 프랑스 건물 앞에 알버트 호프만[28]의 동상이 세워졌을지도 모른다.

전기의 발견 덕분에 천둥과 번개의 정체를 알게 되고 그것

---

28 Albert Hofmann(1906~2008): 스위스 출신의 화학자로 환각제 LSD를 발명했다.

이 초자연적인 원인에서 비롯된 게 아님을 이해하게 되었듯이, 텔레파시를 설명해 줄 정신의 흐름 혹은 유체 같은 것을 발견했을지 누가 알겠는가? 그랬더라면 우리의 문명은 지금과는 상당히 다른 모습을 하고 있을 것이다. 우리는 뇌의 기능에 대해서는 더 잘 아는 대신 항생제 같은 것은 발명하지 못했을지도 모른다. 쾌락은 어떤 형태로 경험했을까? 어쨌든 현재와는 달랐을 게 분명하다.

철학자들의 상상은 다양한 세계를 창조해 냈지만 때로는 괴물을 만들어 내기도 했다. 그들은 새로운 미래를 제시하는 자들, 새로운 가능성을 탐색하는 자들, 개척자들이다. 그들은 인류의 오디세이아를 새로 쓰거나, 새로운 에피소드를 추가하는 자들이다. 베르그송은 물리적 세계보다 정신 현상을 더 잘 이해하는 문명을 상상했다. 그의 상상력은 우리에게 새로운 발전의 길을 제시함으로써 현재의 상황을 더 잘 이해할 수 있도록 돕는다. 우리는 스스로도 잘 모르는 능력들을 가지고 있다. 우리는 지구상에서 가장 복잡한 시스템인 인간의 두뇌에 대해 별로 아는 것이 없다. 그 속에 중요한 문제를 해결할 열쇠가 숨겨져 있다. 신경들의 상호작용으로부터 어떻게 생각이 출현하는가? 이는 매우 광범위한 연구가 필요한 분야이다. 만약 이 분야의 연구가 진척된다면 우리 문명은 진정한 정신사적 전환을 맞게 될 것이다.

베르그송은 세간의 비웃음을 샀다. 상상은 사람들을 웃게 만든다. 상상은 그러므로 누구도 해치지 않는다. 4세기 전에 이미 프랜시스 베이컨은 과학과 기술이 인간의 생물학적 특질들을 최적의 상태로 조절할 수 있는 문명을 만들기 위한 구체적이고 상세한 계획을 제시하여 비웃음을 산 적이 있다. 당시 그의 생각은 일종의 강신술降神術 같은 것으로 간주되었을 것이다. 심지어 그는 죽음에 대항하여 인간 수명을 연장시킬 수 있는 방법을 찾기 위해 인간의 시체를 주의 깊게 연구하기도 했다. 당시 사람들은 그를 마법사 취급했다. 하지만 그가 상상했던 문명은 현재 우리 앞에 실현되어 있다. 그의 꿈은 우리에게 현실이다.

탐색의 작업은 철학 연구의 구성적 요소이다. 부차적인 것으로 간주할 수 없다는 말이다. 탐색은 낮 동안의 연구가 끝난 후 황혼이 찾아올 때 졸린 이성을 흔들어 재우는 몽상 같은 게 아니다. 파스칼은 상상력을 "인간의 실망스러운 부분으로서 오류와 허위의 주관자"라고 명명하면서 경계했다. 그러나 인간의 구원에 대해 그보다 더 많은 상상을 했던 인물은 없었다. 상상은 철학적 활동이 가장 유용하면서 동시에 가장 위험하게 전개되는 영역이다. 사유는 삶의 새로운 가능성을 탐색한다. 이는 사유의 기능에 속한다. 니체는 자신을 미래의 탐색자라고 즐겨 말했다. 19세기 사유의 공통적 주제 중 하나였던 진보에 대해 니체가 어떻게 생각했는지 살펴보면 그가 '전진하는 발걸음' 속에서 가능성의 활력을 보았음을 알 수 있다.

탐색의 작업에 거의 참여하지 않은 철학자들도 물론 존재한다. 이를테면 하이데거는 회고적인 철학자였다. 그러나 철학적 창조 작업은 대부분 미래적 차원을—더 정확히 말해, 미래에 대한 욕망을—포함하고 있다. 17~18세기 중요한 개념으로 떠오른 영구평화, 전쟁이 제거된 사회적 상태에 대한 탐색의 결과로 나온 수많은 논문과 사색들은 일군의 근대 철학자들이 관념이 충동을 제어하는 대안적인 세계를 구상하기 위해 상상력을 성찰의 중심에 놓았다는 것을 보여 준다. 이런 상상 중에는 실제로 현실화된 것도 있다. 초국적 기구에 대한 구상은 칸트의 《영구평화를 위하여*Zum ewigen Frieden*》에서 처음으로 제기되었다. 이 저서는 국제연합[UN]의 모태가 됐다. 칸트는 또한 당시에 이미 국제기구가 강제 집행력을 가진 국제사법재판소와 함께 운영되어야만 최대의 효과를 발휘할 수 있을 것이라고 예견했다. 그러나 현재의 유엔은 이러한 권한이 없다. 이어서 이 계몽주의 철학자는 영구평화 계획에 장애가 되는 주요 문제로 국제적인 인구 이동을 들었다. 그는 난민 문제와 관련한 글에서 난민 구호라는 개념을 제시했다. 그는 그 개념에 국제법의 지위를 부여하고자 했던 것으로 보인다. 지금 와서 이 글들을 다시 읽는 것은 흥미로운 일이다.

한편 철학자들의 탐색은 악몽과 만날 수도 있다. 다른 철학적 작업들 역시 마찬가지이다. 기능으로서의 이 단계들은 모두 가치중립적이기 때문이다. 따라서 그 결과는 최상의 것이 될 수도 있고 최악의 것이 될 수도 있다. 철학자들 역시 손을 더럽힐 수 있다. 아무리 강조해도 지나치지 않은 사실이다. 그리고 지금까지 철학이 여러 차례에 걸쳐 명을 다하고 사라질 뻔 했던 것은 철학적 상상력이 인민 전체에 강박으로 작용한 적이 있기 때문이다. 마르크스는 감옥 같은 세계를 만들어 냈다. 물론 그의 의도는 아니었다. 마르크스의 철학적 사유는 전체주의적 성격의 소비에트 조직을 예견하지 못했다. 그러나 불행히도 그의 사유는 그런 결과와 연결되었다. 이는 그의 사유가 가진 힘을 보여 줄 뿐 아니라 완전히 무고한 탐색이란 존재하지 않는다는 사실을 가르쳐 준다. 탐색의 작업에는 언제나 그 결과가 뒤따른다. 특정 교리에 대한 전파는 처음엔 잉크로 쓰였을지라도 나중엔 핏빛으로 물들 수 있다. 내게 네 꿈을 말해 보아라, 내가 그것을 악몽으로 만들어 주겠다.

철학자들은 탐색의 작업을 시작하자마자 이미 의도와 다른 결과를 초래할 가능성이 도사리고 있다는 사실을 배웠을 것이다. 마르크스와 공산주의의 관계가 그랬고, 니체 역시 마찬가지였다. 나치즘이 그의 철학을 이용한 것은 가증스럽고 위험한 일이었지만 전혀 이해할 수 없는 일은 아니었다. 니체의 사유 속에 포함된 전쟁 예찬과 인간 유형학 때문이다. 이 주제들은 본래의 맥락을 벗어나면 그릇되게 해석될 수도 있다. 이런 경험들은 철학자들의 탐색에의 욕망을 진정시키는 요인이 되었다. 그래서 20세기의 사상들은 이 점과 관련해 이전 시대의 철학보다 더 신중한 듯한 인상을 준다.

마치 이제는 어떤 섬도 존재하지 않게 된 것과도 같다. 여기서 섬은 단순한 메타포가 아니다. 서구 사상 탐색의 작업 속에서 섬은 결정적으로 중요한 역할을 해왔다. 플라톤의 아틀란티스, 그 유명한 토머스 모어의 유토피아 섬, 프랜시스 베이컨의 신新아틀란티스, 홉스의 섬, 대니얼 디포의 로빈슨 크루소의 섬, 들뢰즈가 언급한 미셸 투르니에의 섬[29], 올더스 헉슬리의 섬은 모두 사유가 순수 상태와 조우하는 세계이다. 이 섬들은 원점에서 다시 시작하여 열리는 새로운 미래를 상징한다. 섬은 상상력의 빈 페이지로서 발명을 위한 이상적인 장소를 제공한다. 아직 인공위성에 의해 세계 전체의 지도가 작성되지 않았던 시대에는 픽션이 현실이 될 수도 있는 가능성이 남아 있었다. 유럽에서 멀리 떨어진 어느 곳엔가 상상 속의 섬이 실제로 존재할지도 모른다는 실낱같은 가능성이 존재했다. 그러나 세계 전체의 지도가 완성되고 모든 섬들의 위치가 파악되고 심지어 판매되기까지 하는 오늘날, 그곳에서 새로운 픽션이 탄생할 것 같지는 않다. 섬들은 이제 호텔이 되었다. 이제 다음 차례는 지구 밖 행성들인지도 모른다.

이 예들은 철학적 사유 속에 탐색에의 욕망이 도사리고 있음을 보여 준다. 탐색은 창조로 간주되어야 하며 따라서 작업으로서의 측면에 주목할 필요가 있다. 탐색한다는 것은 이미 존재하는 개념들을 선택한다는 의미가 아니다. 이를테면

---

29 들뢰즈는 〈미셸 투르니에와 타자 없는 세계〉라는 글에서 미셸 투르니에가 《로빈슨 크루소》를 비틀어 쓴 소설, 《방드르디, 태평양의 끝》에 대해 언급한다.

행복에 대한 관점을 채택하는 문제 따위와는 다르다. 탐색은 또한 자주 예언을 가장한 형태로 등장하는 미래에 대한 예측과도 다르다. 탐색은 선호하는 것을 발명하는 행위이다. 선호préférence라는 말 속에는 이미 창조라는 개념이 함축되어 있다. 탐색하는 행위는 결국 사유를 통해 하나의 세계를 창조하는 행위에 다름 아니다. 탐색을 통해 지금 이 세계에 대한 독해로부터 새로운 세계가 탄생하고 도래하는 것이다. 사르트르는 "육체가 빈 공간으로 만들어지듯 하나의 삶은 미래로 만들어진다"고 했다.

한 철학자의 선호만큼 그를 잘 드러내 보여 주는 것은 없다. 그 속에서 우리는 철학자가 바라는 존재의 방식과, 역으로 자신의 삶에서 사라지기를 원하는 것들이 무엇인지를 볼 수 있다. 철학자의 선호는 이상적인 삶의 초상화와 같다. 탐색은 그것이 결코 순수하지 않다는 의미에서 중립적일 수 없다. 그런 의미에서 탐색은 단순한 미래 연구가 아니다. 탐색은 저자의 친필 사인이 들어간 창작물과 같다. 그중 상당부분은 저자의 개인적 예측이 차지하지만 그보다 더 큰 부분은 개인적 바람과 욕망으로 채워져 있다. 우리는 오직 자신이 가고자 하는 곳, 더 나은 곳을 탐색한다. 더 나쁜 곳이라면 내일 아침 배달되는 신문을 펼쳐 보는 것으로 충분하다. 우리는 자각하지 못한 채로 탐색한다. 선의의 문제가 아닌 것이다. 문학과 마찬가지로 선의를 가지고 철학을 하는 건 아니다. 그럼에도 우리는 가능성을 엿본다. 탐색은 가능에 대한 성찰이다.

이런 의미에서 탐색은 개방과 전개의 과정이며, 자신으로부터 출발하여 세계를 향해 나아가는 작업이다. 철학자는 처음의 세 단계를 거치는 동안에는 좀 더 개인적인 차원, 즉 **나는 생각한다**와 연결된 **나는 존재한다**에 기울어져 있었지만, 이제 전달의 과정을 통해 타자와 연결되고 세계를 되찾게 된다. 이를테면 그는 세계로 되돌아온 것이다. 그 세계는 이미 변형되었다. 그는 세계를 해명하려고 애썼고, 몇몇 환상으로부터 스스로를 해방시켰다. 그런 식으로 그는 자기 자신을 탐구했다. 그리고 이제 더 건설적인 단계에 도달했다. 그는 탐색한다. 다시 말해, 삶과 사유의 관계를 실질적으로 살찌우기 위한 길을 찾아 나선다. 삶은 단지 **나는 존재한다**가 아니다. 삶은 이런 고독한 상태에 머물거나 유폐되어서는 안 된다. 이 삶에 연결된 몇 가지 관념들은 세계 전체를 지탱하는 광범위한 사유와 이성의 망에 비하면 보잘것없어 보일 수도 있다. 철학자는 다시금 그 속에 참여해야 한다. 즉 세계 속으로 다시 되돌아와야 한다. 그 세계는 더 이상 예전의 세계가 아니다. 그 사이 변화가 있었다. 그는 몇몇 환상을 잃어버렸다. 어쩌면 그는 새로운 환상을 만들어 낼지도 모른다. 탐색이란 자기만의 방식으로 환상에 사로잡히는 기술, 현재의 자신 혹은 되고자 하는 자신의 방식으로 미래를 꿈꾸는 기술이 아닐까? 새로운 환상이 기존의 환상을 대체하는 것이다. 그러나 과거의 환상이 종족의 신화, 즉 우리가 그것으로부터 해방되어야 할 우상이었다면, 새로운 환상은 우리가 선호하는 미래, 우리의 욕망이 각인된 개인적인 환상이다.

철학적 탐색 속에 개인적 측면이 도사리고 있다고 해서 그것을 철학자 자신에게만 가치를 지니는 주관적인 망상으로 간주할 필요는 없다. 철학자의 선호는 설사 그것이 개인적인 성향과 성격을 반영함에도 타인과 관계를 맺으며 세계를 향한다. 다시 말해 객관성을 획득한다. 우리는 여기서 철학의 패러독스를 발견한다. 때에 따라서는 가장 개별적인 것에서 가장 보편적인 것이 나올 수도 있다.

철학자가 자신이 선호하는 것을 탐색하는 과정은 이 두 차원을 경유한다. 철학자는 자신의 개인적 욕망뿐 아니라 그것을 초월하는 세계에 대해서도 말한다. 그 세계는 앞으로 도래할 세상, 사회적, 정치적 진보를 가리킨다. 그의 말은 위험을 내포할 수도 있고 사람들을 당황하게 만들 수도 있다. 누가 혹은 무엇이 그에게 새로운 세계를 탐색할 자격을 부여했는가? 타인들에게도 그것이 흥미로울 것이라고 믿는 이유는 무엇인가? 이 질문에는 매우 인간적인 답 하나만이 존재한다. 그가 걸어온 길이 그에게 자격을 부여한다. 그가 내세울 수 있는 것은 오직 그것뿐이다. 그 길 위에서 그는 삶과 사유가 만나는 지점을 발견하고, 흥미롭고 자유로운 방식으로 두 차원을 연결해 나가면서 앞으로 나아갈 수 있을 것이다.

앙드레 지드는 해방하기는 쉽지만 자유로운 방식으로 사는 것은 어렵다고 말했다. 이 말은 철학자에게도 해당된다.

그는 원치 않은 환상들로부터 벗어났다. 결코 만만한 작업은 아니었지만 완전히 불가능한 것도 아니었다. 이 행위는 부정적이다. 니체였다면 좋은 망치 하나면 충분하다고 말했을 터이다. 그 망치로 우상을 산산조각 내기만 하면 되는 일이니까. 문제는 새로운 것을 재구축하는 작업이다. 하나의 길을 제안하고 탐색하는 것은 선호하는 것을 창조하는 일이다. 여기서 다른 작업과의 차이가 드러난다. 뒤의 세 단계는 만만한 작업이 아니다. 철학자 혼자만의 작업이 아니기 때문이다. 그는 타인을 위해 말하기 시작한다. 그의 선호는 한 사회를 대상으로 삼는다. 그의 세계는 사막이 아니다. 그의 섬에는 인간 집단이 살고 있다. 그곳은 감옥이나 은신처가 아니다.

철학자는 위태롭게 나아간다. 사람들은 그를 주목한다. 그는 무엇을 제안하는가? 그는 무엇을 욕망하는가? 그것은 타인들에게도 욕망의 대상이 될 수 있는가? 그는 무엇을 하나로 아우르는가? 사람들은 예의주시하며 결정적인 순간을 기다린다. 탐색은 철학자의 욕망이다. 그러나 어떤 이들은, 몇몇 위대한 철학자들을 포함해서, 그것을 비이성적인 집착 같은 것으로 간주한다. 니힐리스트들이 대표적이다. 그들에게 과거는 회색이고 현재는 검은색이다. 그렇다면 미래는? 희미한 빛과 그림자만 있는 단색화이다. 그들은 인간의 운명을 개선할 수 있다는 환상을 믿느니 미래가 부재한다고 생각하는 편을 택한다. 그들에게 탐색이란 미리부터 비관하는 것을 의미한다. 그러나 위험을 무릅쓰는 이들에게 대답은 오직 하나뿐이다. 그들에게 믿을 것은 자기 자신뿐이다. 자신의 지식과 상상력, 지금까지 걸어온 길에만 의지할 수 있을 뿐이다. 어떤 이들은 단지 이것만 가지고도 미래를 향해 화살을 쏘아 올리는 데 성공했다. 그들은 아직 많은 것을 갖추지 못한 상태지만 다음 단계의 여정을 계속해 나갈 것이다.

6. 변형하다

> 존재는 갓난아기가 이름을 필요로 하듯 의미를 요구
> 한다. 한 번의 만남이 미래의 감정을 요구하는 것과
> 마찬가지이다. 우리는 우리가 왜 여기 있는지 알지 못
> 한다. 존재한다는 것은 우주 전체의 관점에서 보면 현
> 기증 나는 일이며, 인류 전체로 보면 하찮고, 역사 전
> 체로 보면 우연에 불과하며, 생물학적으로 보면 기적
> 이고, 죽음의 관점에서는 공허하다. 존재는 하나인데
> 결핍은 다섯 가지나 되는 셈이다.

철학자들은 단지 세계를 해석하기만 한 것이 아니다. 그들은
세계를 변형하기도 했다. 때로 세계를 다시 조직하는 데 참여
하거나 세계의 의미를 바꾸어 놓기도 했다. 탐색이 새로운 가
능성을 찾는 것을 의미한다면 변형은 새로운 현실을 창조하
는 것이다. 이 작업 속에서 철학은 가장 구체적이고 가시적인
단계, 가장 지속적인 흔적을 남기는 단계에 도달한다.

　해방은 근본적으로 부정과 투쟁의 욕망이다. 우리는 자신
이 거부하는 것으로부터 스스로를 해방한다. 해방에의 욕망
에 대한 응답이자 해방의 작업과 대칭관계에 있는 변형은 건

설적이고 창조적인 작업이다. 해방의 단계에서 철학자는 우상을 내쫓고, 편견을 무너뜨리고, 가능하다면 인간들을 짓누르는 불필요한 신념의 무게를 덜고자 노력했다. 그에게 종족의 환상을 지니고 살아가는 것은 불가능한 일이다. 그러나 어떠한 환상도 없이 사는 것은 단조로우며, 탐색의 작업이 제공하는 환상만으로는 충분하지 않다. 뭔가 새로운 것을 가져올 필요가 있다. 우리가 쟁취한 진리를 구체화하는 것, 이를테면 그것에 활력을 불어넣는 작업이 필요하다.

나는 개인적으로 철학으로부터 감동 이상의 것을 받았다. 나는 철학이 나를 변형시켰다고 느낀다. 이 변형은 정확히 무엇일까? 이를 어떻게 설명해야 할까? 물론 이력이 다른 각 개인마다 그 결과는 달라질 것이다. 어떤 이들에게 그 변화는 매우 가시적으로 드러난다. 옷을 입고, 말하고, 살아가는 방식까지 바뀌는 이들도 있다. 또한 타인들, 직업, 돈과 맺는 관계도 변할 수 있다. 앞서 말했듯이, 사로잡힘의 단계에서는 자신이 사숙하는 철학자를 모방하는 일도 생긴다. 이런 식으로 개인의 변화가 현격히 눈에 띌 수 있다. 고대에는 옷차림을 보고 어떤 철학 학파에 소속되어 있는지를 알 수 있었다고 한다. 오늘날에도 이런 것들은 완전히 사라지지 않았다. 철학자들은 보통 쉽게 눈에 띤다. 그들은 우리가 도달할 수 없는 어느 나라인가를 향해 가는 듯한 인상을 준다. 그리고 말을 할 때도 그들은 뭔가 다른 단어, 다른 습관, 다른 코드를 지니고 있으며 때로는 그게 유머의 형태로 드러나기도 한다.

그러나 이런 측면들을 너무 과장하거나 이상화할 필요는 없다. 철학자들 중에는 비오는 날의 대학 교정처럼 지루하고 우울한 인물들도 얼마든지 있다. 철학은 이보다 좀 더 미묘한 형태의 변화를 초래한다. 성급한 일반화를 무릅쓰고 말한다면, 철학은 존재를 의미로 변형한다. 이 작업은 지금까지 심층적으로 해명되지 않았다. 우리가 철학적 활동을 고찰할 때 그것을 추동하는 욕망에 충분히 관심을 기울이지 않기 때문이다. 그러나 가까이서 들여다보면, 존재를 의미로 변형하는 것은 철학의 가장 고차원적이고 가시적인 작업이라는 사실을 알 수 있다. 이 변형이야말로 가장 강력한 실존적 영향력을 행사한다. 사람들이 철학을 시간 낭비로 여기는 건 이 변형에 실패했을 때다.

이런 변형은 연금술의 과정과 비교할 수 있다. 존재가 납이라면 의미는 금이다. 납을 금으로 변형시키는 것이다. 둘은 여전히 같은 물질이면서 동시에 다른 물질이다. 모든 것은 어떻게 바라보고 접근할 것인가의 문제이다. 연금술은 무엇보다 그것을 바라보는 시선의 문제이다. 사람들은 연금술에 비의적인 후광을 입히고 무슨 음모 같은 것에 결부시켜 베스트셀러의 줄거리로나 써먹는다. 그러나 잘 생각해 보면 연금술이 우리에게 주는 메타포는 매우 간단하다. 사람들이 연금술과 관련하여 모든 것을 뒤섞어 바라보는 것은 오직 물질에만 주의를 기울이기 때문이다. 우리는 특정 종류의 납, 특정 모양의 별자리 배치, 특정 첨가물들에 대해서 말한다. 그리고 몇 년 간을 영원한 지혜의 강당[30]에서 기도하고 일하면서 물질의 적절한 변환을 위해 불을 조절했던 연금술사들은 현대 화학자들 못지않은 지식을 갖고 있었을 것이라고 말한다. 우리는 또한 플라스크, 광석 추출물, 화로와 온갖 물질들로 가득한 연구실에 감탄하면서 연금술사가 무언가를 만들어 냈을 것이라고 기대한다. 물론 납은 금이 되지는 못했다. 그러나 사물을 다른 관점으로 볼 필요도 있다. 프로메테우스적인 시각으로 연금술의 물질적 차원에 감탄하면서 원소와 불, 연구실 같은 것에만 주목하는 대신 단순히 그 안에 있는 사람에게 주의를 기울여 보자는 말이다. 그는 연금술 기구 앞에서 인생의 몇 년 간을 보내기로 결심한 한 개인이다. 그는 자신이 보는 것들로부터 영향을 받는다. 그는 한 조각의 광물을 관찰하면서 세계의 탄생을 연구하고, 용기에 담긴 물을 바라보면서 생명의 기원에 대해 생각한다. 중요한 건 바로 이 사람이다. 이 사람이 바로 납이다. 그리고 어쩌면 금으로 변할지도 모르는 존재인 것이다. 그는 자신을 변형한다. 이런 자신에 의한 자신의 변화라는 관점에서 본다면 연금술에 있어서 물질적인 문제는 단순한 디테일이나 수수께끼 놀이에 불과할지도 모른다. 물론 오래된 것들에 호기심을 느끼는 이

---

30 16세기에 생존했던 독일의 연금술사 하인리히 쿤라트의 책 제목이기도 하다. 라틴어 원제는 《*Amphitheatrum Sapientae Aeternae*》.

들에게는 매우 소중하고 진기한 것일 터이다. 연금술은 무엇보다 연금술사를 변형시킨다. 납과 금은 지금의 존재와 앞으로 되고자 하는 존재의 상징으로서 연금술적 성찰의 매개물이다. 이 두 물질은 이런 변형의 거울이 되어 준다. 하지만 거울은 빛을 반사할 뿐이다. 우리는 거울을 바라보면서 거울 속에 비친 사람의 머리를 빗겨 주지는 못한다.

이런 점들을 염두에 두고 우리는 철학적 변형과 연금술적 작업을 비교해 볼 수 있다. 물론 다른 비교 대상도 존재한다. 중요한 것은 존재를 의미로 변형시키는 것, 다시 말해 삶을 의미 있는 존재로 만드는 것이다. 삶은 의미와 함께 우리에게 주어지는 것이 아니기 때문이다. 삶 자체는 생물학적이며 그 속에는 의미가 담겨 있지 않다. 존재가 먼저다. 존재는 의미에 선행한다. 사르트르의 말처럼 존재는 본질에만 선행하는 것이 아니라 사람들이 존재에 부여하는 의미에도 선행한다. 존재는 하나의 시작점이다. 존재는 갓난아기가 이름을 필요로 하듯 의미를 요구한다. 한 번의 만남이 미래의 감정을 요구하는 것과 마찬가지이다. 존재는 의미를 부른다. 우리는 우리가 왜 여기 있는지 알지 못한다. 존재한다는 것은 우주 전체의 관점에서 보면 현기증 나는 일이며, 인류 전체로 보면 하찮고, 역사 전체로 보면 우연에 불과하며, 생물학적으로 보면 기적이고, 죽음의 관점에서는 공허하다. 존재는 하나인데 결핍은 다섯 가지나 되는 셈이다. 우리의 요구를 정당화하기 위해서는 이 정도 결핍만으로도 충분하다. 이는 천칭 저

울의 한쪽 팔을 현기증과 하찮음, 우연과 기적, 공허함이 납처럼 무겁게 짓누르고 있는데 다른 한쪽 팔에 올라서서 금으로 만든 깃털 같은 의미를 절망적으로 요구하는 것과도 같다.

우리는 일반적으로 어딘가에서 의미를 빌려 온다. 온갖 의미들로 가득 찬 시장이 존재한다. 우리는 그 시장을 가족, 학교, 병영, 연구, 노동, 제도, 종교, 문화 등 다양한 이름으로 부른다. 의미는 봄날의 데이지꽃 만큼이나 지천에 있다. 그냥 지나가다가 몇 송이 꺾으면 그만이다. 세계는 의미로 넘친다. 아무 서점에나 들어가 보라. 우리에게 삶에 의미를 부여하는 방법을 가르쳐 주겠다고 자청한 저자들의 책들이 빼곡하게 꽂혀 있는 것을 보게 될 것이다. 선택의 폭이 너무도 넓어서 의미를 부여할 존재가 하나 뿐인 게 아쉬울 정도이다. 여기서 서구의 신경증이라고 할 수 있는 선택의 문제가 제기된다. 선택지가 너무 많은 문제는 때로 그것들을 모두 뒤섞어 버리는 것으로 해결된다. 결정하지 않기 위해 사실상 모든 것을 선택하는 것과 같다. 이런 식으로 차용된 의미는 개인적이고 주관적인, 심지어 창조적인 차원을 획득한다. 이전 세대들처럼 강요된 의미를 견디는 것보다는 차라리 자아도취에 사로잡히는 편이 낫다는 식이다. 그러나 양쪽의 경우 모두 의미는 각 개인의 삶 바깥에 머문다. 시장이 발전하면서 획일적이었던 의미는 이제 더 다채롭고 매력적인 모습을 갖추게 되었다. 그게 유감스럽다는 말을 하려는 게 아니다. 이 차이는 피상적일 뿐이다. 예나 지금이나 우리가 의미를 어딘가에서 빌려 온다는 점이 중요하다. 이런 경우 자신의 삶에 의미를 부여한다는 말은 언어적 오류에 불과하다. 정확히 말하면, 우리는 의미를 다른 어딘가에서 가져다가 자신 속에서 구현하는 것이다. 일테면 의미는 소프트웨어처럼 삶의 성능을 최적의 상태로 만들어 주는 기능을 한다. 결말이 다 정해져 있는 셈이다.

그러나 이미 해명, 해방, 자기 인식, 전달, 탐색의 긴 단계들을 통과한 철학자로서는 남에게 의미를 빌려다 쓰는 일이 불가능해진다. 너무 많은 것들이 파괴되고, 너무 많은 책략이 폭로되었다. 이 작업들 속에서 일종의 자율성이 형성된다. 그 결과로 철학자는 남들이 아닌 자기 자신에게 의지할 수 있게 된다. 이를 거만함이나 오만함hubris으로 볼 수도 있고, 자멸로 이끄는 개인주의로 볼 수도 있을 것이다. ─실제로 그런 경우도 없지는 않다. 그러나 이 단계에 도달한 철학자는 자신이 직접 가공하지 않은 의미를 사람들 앞에 내놓는 것을 좋아하지 않는다. 그는 이 의미가 다른 이들, 심지어 다른 철학자도 아닌 자기 자신에게서 나온 것이기를 바란다. 그에게 고독은 오히려 진리를 보증해 준다. 철학자는 이 과정의 끝까지 가고자 욕망하고, 이 특이한 학문 분과가 한 개인에게 제기할 수 있는 최고의 요구를 받아 안으려고 한다. 그가 만약 자신의 삶에 대한 어떤 초월적인 정당화도 거부한다면 그에게 남은 선택은 오로지 자신의 삶으로 삶을 정당화하는 것, 자신의 존재 자체 속에서 존재의 의미를 발견하는 것뿐이다. 즉, 자신을 변형시켜야 한다. 단지 존재하는 데 머무는 것이 아니라 그 존재로부터 어떤 의미를 추출할 수 있는 방식으로 존재하는 것이다.

철학에 너무 많은 것을 요구하는 것처럼 보일 수도 있다. 철학으로 이런 것들이 가능할까? 이런 것을 꼭 해야 하나? 존재를 의미로 변형시킨다는 말은 정확히 무슨 뜻일까? 이 의미란 철학자가 다른 신화들의 압력으로부터 자유로워진 후 마지막 단계에 이르러 새롭게 얻게 되는 환상은 아닐까? 혹은 다른 이들의 손에 파괴될, 혹은 삶 속에서 힘을 잃게 될 새로운 우상은 아닐까? 그럴지도 모른다. 하지만 남에게서 빌려온 것이 아닌 내 자신에게서 나온 환상이라는 점에서 다르다. 이 의미는 존재를 연장하는 이론적, 개념적 투영이며, 때로 그 존재를 너무도 잘 표현해서 그것과 구별할 수 없게 되기도 한다. 삶과 이론은 끊임없이 서로 결합되었다가 분리되기를 반복한다. 변형의 작업 속에서 둘은 서로 결합한다. 이론이 삶의 깊은 내면으로부터 자양분을 얻고, 의미가 존재로부터 직접적으로 연원할 때 삶과 이론은 더 이상 구분할 수 없는 것이 된다. 둘의 결합은 영원하지는 않지만 매우 강력하다.

레비나스의 '타자의 얼굴le Visage de l'Autre'[31]을 예로 들어 보

---

[31] 타자를 끊임없이 동일자로 환원하는 서구의 존재론을 극복하고자 했던 레비나스는 소유와 지배의 욕망을 무력화시키고 윤리적 행동을 명령하는 타자의 얼굴이 곧 신의 흔적이라고 보았다.

자. 레비나스가 자신의 존재 일부를 이 얼굴로 변형시켰다고 말한다면, 혹은 그가 느끼고 경험한 것들로 이 얼굴을 창조했다고 말한다면 과장일까? 타자의 얼굴이라는 개념 속에는 우리가 무심코 지나치는 눈, 코, 입이 달린 얼굴들에 대해 우리가 느끼는 거리감과 그것에 다가가려는 욕망이 동시에 담겨 있다. 여기서 다가간다는 것은 서로를 부르고 책임을 진다는 것을 의미한다. 이런 종류의 개념은 한 사람의 인생 전체로부터 자양분을 얻는다. 개념은 한 존재를 전달 가능한 의미를 지닌 존재로 변형시킨다. 개념은 마치 그것의 창조자를 벗어나 독자적으로 생존해 나갈 수 있는 것처럼 보인다. 위대한 개념들은 그 속에 존재의 의미를 간직하고 있다. 개념들은 외부로 표현되기 전부터 그 의미에 의해 운반된다. 예술가가 자신의 존재를 작품 속에 표현하듯, 철학자는 자신의 존재를 이론과 개념 혹은 이론적 고찰 속에서 표현한다. 철학자가 직접 체험하는 삶의 의미가 바로 그 속에 담겨 있다.

레비나스는 얼굴이라는 개념을 발전시켜 나가면서 모든 종류의 결정성보다 더 중요하고 중심적인 가치를 지니는 하나의 비결정성^{indetermination}을 창조했다. 여기서 알파벳 대문자는 매우 중요한 역할을 한다. 레비나스는 얼굴을 대문자로 표기했다. 'Le Visage'. 그의 성찰은 바로 이 대문자로부터 시작한다. 그는 매우 잘 알려지고 코드화된 현실을 포착하여 탈취한 후 변형시켰다. 이제 그 현실은 멋진 칼집 같은 모양의 대문자 V로 시작하는 이름을 얻게 되었다. 우리는 묻는다. 이 낯선 존재는 무엇인가? 우리는 얼굴에 대해 모든 것을 알고 있다고 믿었다. 그러나 레비나스는 우리가 아무것도 모르고 있다고 말한다. 그리고 대문자 V로 시작하는 얼굴에 대해 말한다. 모든 것이 변화한다. 우리는 세속의 극장을 떠난다. 사진은 더 이상 얼굴에 대해 아무것도 말해 주지 않는다. 우리는 새로운 만남을 향해 나아간다. 대문자 V로 시작하는 얼굴과의 만남이다. 레비나스는 낯선 존재 X를 창조해 냈다. 사람들이 그에게 그 존재의 의미에 대해 물으면 그는 우선 자신 역시 우리처럼 그 존재 앞에서 망설이고, 매혹당하고, 당황한다고 대답한다. 우선 이미지의 존재가 우리에게 보여 주는 것에 익숙해져야 하고, 보는 법을 배우고, 우리의 반사적인 행동 방식과 부적절한 습관들을 버리고, 무엇보다 더듬거리더라도 할 말을 찾아야 한다고 말한다. 그러고는 느닷없이 그는 우리가 이 얼굴에 대해 많은 것을 알지 못하지만 이것은 세상에서 가장 중요한 것, 즉 존재의 의미와 관련된 문제라고 말한다. 레비나스는 이제 창조한다. 그는 수천 페이지의 글들을 써내려 간다. 그는 우리에게 하나의 얼굴을 제공한다. 철학자가 우리에게 선사하는 미지의 개념 X다. 하나의 작업이 그 자체로 하나의 삶이 된다.

자신의 삶을 하나의 얼굴로 변형시키는 것, 그리고 세계가 그것을 중심으로 돌아가게 하는 것은 존재 전체를 대상으로 한 철학적 연금술이다. 이 단계에 이르면 더 이상 철학을 추상적이고 지적이기만 한 것으로 간주할 수 없게 된다. 철학은 존재로부터 영양을 취한다. 철학은 존재의 뿌리로부터 의미를 길어 내어 그것으로부터 새롭게 가지들이 뻗어 나가게끔 한다. 니체의 즐거운 학문, 베르그송의 직관, 후설의 세계, 시몽동의 개체화, 얀켈레비치의 형용 불가능한 것$^{je-ne-sais-quoi}$, 들뢰즈의 되기^{devenir} 등, 이 의미 묶음들 속에서 우리는 이미 사라졌지만 변형을 거듭하며 계속해서 생존해 가는 존재들의 서명을 읽을 수 있다.

7. 기쁨을 주다

기쁨을 주는 단계는 매우 드물게만 도달할 수 있는 정상이다. 그것은 터져 나오는 웃음, 환희이다. 철학에 보내는 작별 인사이다. 그러나 우리는 철학으로 다시 돌아온다. 그것은 공모 관계이며 고차원의 감정이다. 내려오는 막幕이다. "철학을 비웃는 것이 진정으로 철학하는 것"이라고 한 파스칼의 말이다. 그것은 쓰고 나서 곧 잊는 것이다. 게임이다. 언어의 부질없음이다. 하나의 단어, 그것의 시학詩學이다. 모든 것이 변했기 때문에 모든 것을 원점에서 다시 시작하는 것이다. 그것은 작은 병 속 깊숙이 숨겨져 있는 진리이다. 아이의 웃음이다. 음악이다. 사랑이다. 기쁨을 주는 것은 매우 개인적인 행위이다. 그래서 각자에게 달렸다.

3부
지나치게 현대적인 철학이란 없다

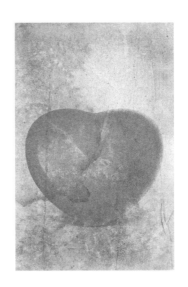

1. 진보의 두 가지 방식

해명하고 해방하고 탐색하기 위해서는 참신한 도약이
필요하다. 철학은 존재가 그렇듯 새로움의 창조이다.
철학은 삶과 죽음의 순환 속에서 진보한다. 이론들은
태어나고, 사라지고, 입문을 통한 순환 과정에 의해
변형된 모습으로 재탄생한다. 철학은 서구에서 가장
역사가 오래된 분과이지만 동시에 최신의 것들을 가
장 잘 수용할 수 있는 가장 신선한 분과이기도 하다.
철학은 어린아이의 손에 쥐어진 낡은 장난감이다.

사람들은 철학의 효용성에 대해 빈정대기를 좋아한다. 조롱
이야말로 진실을 드러내는 강력한 방식이다. 그런데 조롱해
야 할 대상은 철학의 효용성인가, 아니면 철학 그 자체인가?
이 점과 관련하여 나는 기존의 통념을 뒤집고 싶은 유혹을 느
낀다. 철학이 무엇인지를 정의하는 것보다 철학자들이 욕망
하는 것이 무엇인지 알아내는 것이 더 쉽다는 게 내 생각이
다. 철학에서 그것의 목적들을 모두 제거해 버리면 철학은 모
호한 덩어리가 된다. 만약 그 목적들을 겉으로 드러낼 경우
철학은 여전히 모호한 덩어리이지만 한 방향을 따라 움직인

다. 철학은 해명, 탐색, 기쁨의 순서를 따라 움직인다. 반대 방향으로 움직인다면 실패하고 말 것이다. 철학은 그것이 본원적인 욕망을 표현하는 한에서만 유용하다. 철학은 그 욕망들을 지탱하고 긍정하는 역할을 수행한다.

그렇다면 왜 철학을 조롱하는가? 답은 간단하다. 철학은 하나의 꿈으로 끝나 버릴 수도 있으며, 그 욕망들은 단순한 환상에 그칠 수도 있기 때문이다. 철학적 담론은 추상적인 시詩에 불과한 것으로 밝혀질 수도 있다. 철학이 그토록 쉽게 조롱의 대상이 되는 것은 철학이 욕망하기 때문이다. 세상에 겉으로 드러난 욕망보다 더 약한 것은 없다. 철학을 조롱하는 사람의 말 속에는 일말의 진실이 담겨 있다. 욕망과 세계가 너무도 다른 질서에 속해 있기 때문에 전자가 후자를 만날 가능성이 거의 희박해 보이는 것이다. 욕망을 품는 것은 쉽다. 그러나 세계는 만만하지 않다. 철학은 매우 개인적인 효용성을 제공한다. 철학은 현재 진행형의 욕망들을 표현하는 데 없어서는 안 되는 수단이 된다. 그러나 철학은 이 사적인 영역을 넘어서까지 힘을 발휘할 수 있는가?

지나치게 개인적인 철학이 없는 것과 마찬가지로 지나치게 현대적인 철학도 없다. 철학은 영원을 욕망해 왔지만 그것을 얻지 못했다. 철학은 시간으로부터 벗어나 초월적인 관점에서 역사를 조망하고 싶어 했으나 실패했다. 모든 사유는 당대의 영향을 받는다. 철학자 자신은 의식하지 못하더라도 지금 쓰이고 있는 모든 철학은 현재의 시간을 표현하고 있다.

철학자들의 작업은 그들이 현재의 세계를 인식하는 방식에 따라 전개된다. 보편성에 대한 욕망의 잠정적인 유사물로서 영원에의 꿈에 사로잡힌 철학자의 담론은 창문 밖에서 실제로 벌어지는 일들과 분리된다. 그러나 철학자는 오히려 이것들로부터 자양분을 얻어야 한다. 철학의 기능들은, 그 기능이라는 말이 의미하듯이, 그것들이 속한 전체에 의존한다. 이 기능들은 하나의 상황 속에서 작동한다. 각각의 질문에는 그것이 제기된 날짜가 있으며 각각의 문제에는 그것이 발생한 장소가 있는 법이다. 심지어 영원에 대한 질문조차 그것이 제기된 순간과 맥락에 의존한다.

마찬가지로 철학의 효용에 대한 질문 역시 현재 상황에 대한 문제 제기에서 시작되어야 한다. 이를테면 세계화된 기술 자본주의가 지배하는 상황과 철학적 활동 사이에 어떤 형식의 만남이 가능한가라는 질문에서 시작되어야 한다. 이런 만남은 저절로 이루어지지 않는다. 의식적인 노력이 필요하다. 환상을 버려야 한다. 이 만남은 은밀한 방식으로만 가능하다. 때로 비합법적인 저항의 성격을 띨 때도 있다. 지금까지 철학과 사회가 공식적이고 조화로운 방식으로 만날 수 있었던 사회는 드물었다. 고대 아테네, 토마스 아퀴나스가 살던 13세기의 기독교 시대, 철학적 이상이 새로운 헌법에 직접 반영되었던 프랑스 대혁명 정도였다. 이 상징적인 경우들에서 각각의 사유는 자신의 실현을 위해 세계를 선사받은 셈이었다. 나폴레옹 군대의 예나 입성을 축하하면서 동시에《정신

현상학*Phänomenologie des Geistes*》을 탈고한 헤겔 역시 이런 유의 합일을 꿈꾸었다. 그러나 이러한 철학과 시대 상황의 공생 관계는 지금 시대와는 맞지 않는다. 현재의 기술적, 사회·경제적 메커니즘은 관념들보다는 현실 정치에 더 큰 영향을 미친다. 철학과 사회는 서로 분열과 수렴을 반복한다. 때로 둘 사이에 깊은 골이 패이기도 한다. 스타일의 차이 때문이라고 생각할 수도 있다. 철학은 시간과 고독을 요구한다. 철학의 효과는 눈에 잘 띠지 않는다. 반면, 현대 사회는 점점 빠른 속도로 변화를 거듭하고 있다. 철학자는 다른 세기에서 온 로빈슨 크루소이다. 그는 섬 속에 스스로를 유폐시킨 채 네트워크의 히스테리에 대항한다.

이 스타일의 차이는 철학과 현대 세계가 고려하는 진보의 방식에서 나타나는 더 근본적인 차이에서 파생된다. 우리는 이제 역학*dynamique*의 문제에 직면한다. 철학과 그것을 둘러싼 세계는 진보를 바라보는 관점이 전혀 다르다는 점에서 서로 구별된다. 변화 중인 세계 속에서 진보와 어떤 관계를 맺는지에 따라 각 존재의 근본적인 성격이 달라진다. 현대 사회에서는 정체성보다 역학이 더 중요성을 띤다. 누군가가 진보에 관심이 있다고 하자. 그가 진보를 어떤 관점으로 바라보고, 어떤 미래가 실현되기를 원하는지 안다면, 우리는 그에 대해서 많은 것을 파악할 수 있다.

현대 세계는 진보하는데 철학은 진보하지 않고 있다고 말하는 것은 너무 단순하다. 철학자는 진보한다. 철학자는 고행을 통해 단련되고 자신의 역사 속에서 배우며 새로운 진리를 발견한다. 그는 자신을 변형시키고 개념들을 자신의 경험과 연결하며 자신의 현존재에서 출발하여 사유를 펼쳐 나간다. 그가 이 단계에 도달하는가, 도달하지 못하는가는 개인에게 달려 있는 문제이지만, 그런 시도는 이미 철학이라는 학문 분과에 내재된 필연이다. 철학만의 고유한 운동이 존재한다. 이는 각각의 단계에서 자기표현의 수단을 찾고자 하는 욕망의 운동이다. 한편 이와 같은 진보의 방식은 우리 사회의 주류를 움직이는 힘과는 다른 역학 속에서 작동한다. 내가 졸저 《진보 이후$^{Après\ le\ progrès}$》에서 보여 주었듯이 여러 가지 종류의 진보가 존재한다. 진보와 진보 아닌 것을 대립시키는 것은 너무 단순하다. 이보다는 앞으로 나아가는 다양한 방식을 수용하고 각 운동의 차이를 분석하는 일이 필요하다.

　　현대의 발전된 사회와 현대 철학은 서로 구별되는 도식 속에서 발전해 나가고 있다. 현재 양자를 대비시키는 것 못지않게 시급히 요구되는 것은 둘 사이의 상보성을 찾아내는 것이다. 현대 사회는 자본화^{capitalisation}를 통한 선형적 발전 역학을 따르고 있다. 반면 철학은 매번 새로운 입문^{initiation}을 필요로 하는 순환적 역학을 따른다. 이 두 개의 궤적은 서로 잘 교차하지 않는다. 화살표를 닮은 선형의 기술 진보는, 원형 혹은 나선형의 모양으로 발전해 나가는 철학과 구별된다. 각각의 운동 속에서 양자는 서로 멀어져 간다. 한편 철학은 이 두 운동 사이의 만남을 조직하는 임무를 떠안는다. 철학이 물질적인 운동에 영향을 미칠 수 있는 길을 찾기 위해서는 그만한 대가를 치러야 하는 것이다.

기술-과학적 진보의 역학이 선형적일 수밖에 없는 것은 그것이 기술적 장치들의 계통(예를 들면, 벨의 발명부터 현재에 이르는 전화기의 계통)을 따라 발전해 나가기 때문이다. 각 계통에서 가장 최근의 단계들은 미래의 발전을 위한 재산이 된다. 이를테면 레이저 기술은 50여 년 전부터 하나의 자본처럼 기능하고 있다. 레이저의 발명으로 외과 수술, 나노테크놀로지 등 다양한 영역에 적용 가능한 기술적 계통이 탄생하게 되었다.

자본화를 통한 선형적 역학에 의해 각 세대는 이전 세대로부터 일정량의 지식을 전수받는 것을 넘어서 새로운 기술 개발에 투자할 자본으로서의 물질적 유산을 상속받는 셈이다. 현재의 세대는 이렇게 물려받은 자산 덕분에 기술-과학적인 관점에서 봤을 때 굳이 이전의 단계를 거치지 않고도 정상의 자리를 차지할 수 있다. 선진국에서 태어난 아이들이 최신 성능의 계산기를 사용하면서 그것의 존재를 마치 하늘에 떠 있는 태양처럼 자연스럽게 받아들이는 것은 거의 혁명에 가깝다. 우리는 아직 기술-과학적 진보의 발전 가능성을 모두 파악하지 못했다. 기술적 진보가 인간에게 봉사할 수 있도록 하기 위해서는 인간 자신이 기술적 진보로부터 무엇을 얻고자 하는지를 정확히 아는 것이 필요하다.

그러나 철학적 역학은 이와 전혀 다르다. 철학의 영역에서는 언제나 원점에서 다시 출발해야 한다. 제아무리 천재의 자손이라도 사유의 초보 단계에서부터 다시 시작해야 하는 것이다. 우리는 사는 법을 배우듯 철학하는 법을 배운다. 철학에는 이전 단계들을 모두 요약해서 함축하고 있는 기술적 장치와 닮은 어떤 것도 존재하지 않기 때문에 단숨에 정상에 오를 수는 없으며 모든 발전 단계를 차근차근 밟아 올라가야 한다. 이는 비극이다. 긍정적으로 상황의 비장함을 만회하려고 노력할 수는 있겠지만, 하나의 정신을 구축하고, 지식을 쌓고, 그 지식들을 연결하는 데 평생을 보내야 한다는 사실은 우리에게 절망을 안겨 준다. 그 정신을 담는 뇌는 죽으면 땅에 묻혀 벌레들의 먹이가 될 뿐이다. 절친한 친구 혹은 주변 사람이 사라지면 누구도 그들을 대신하지 못한다. 그들에 대한 기억은 남지만 그들의 사유 방식에 숨겨진 매력은 영원한 비밀로 남게 된다. 그들이 쓴 책은 그 일부만을 단편적으로 포함하고 있을 뿐이다. 이를테면 한 조향사調香師의 코를 잃는 순간 인류는 그만큼 가난해지는 것이다. 향을 맡는 법을 배우려면 평생이 걸린다. 근본적인 것은 전달이 불가능하다.

이런 이유로 철학적 역학은 순환적이며 매번 새로운 입문을 필요로 한다. 철학은 다른 많은 분과들과 달리 자본을 갖고 시작하지 못한다. 다시 말해 어떻게 마련되었는지 상관없이 종잣돈 구실을 할 수 있는 그런 자본이 없는 것이다. 반대로 철학은 자신이 물려받은 역사를 다시 횡단하고 현재 시대에 맞춰 재해석해야 한다. 이는 막대한 작업이다. 모든 것을 혼자 힘으로 해야 하며 그 결과에 대해서도 단독으로 책임져야 한다. 이미 예전 철학자들이 설명했다는 이유로 시간의 개념에 대해서 설명하기를 거부하는 철학자를 본 적이 있는가? 그런 경우는 드물다. 철학적 어휘나 논리들 이외에 철학 내에서 반박이 불가능하다고 공인된 지식 혹은 해답 같은 것이 존재하는가? 그런 건 없다. 만약 그런 게 있다면, 아마도 철학자들은 곧바로 반박에 나설 것이다. 철학은 모든 것을 백지로 되돌리려는 경향을 가지고 있다. 하지만 다른 방법이 없지 않은가? 하나의 이론을 물려받는다는 것은 하나의 이론 속에만 머문다는 뜻이다. 그러나 철학자는 자신의 경험에서도 영감을 얻으며, 자신이 체험한 것과의 연결 속에서만 하나의 이론을 받아들인다. 새로운 존재가 수백 년 동안 고안된 이론들 사이를 관통하면서 그것들을 참신한 방식으로 재구성해 낼 때에만 삶과 이론의 게임은 지속 가능해진다.

해명하고 해방하고 탐색하기 위해서는 참신한 도약이 필요하다. 철학은 존재가 그렇듯 새로움의 창조이다. 철학은 삶과 죽음의 순환 속에서 진보한다. 이론들은 태어나고, 사라지고, 입문을 통한 순환 과정에 의해 변형된 모습으로 재탄생한다. 철학은 서구에서 가장 역사가 오래된 분과이지만 동시에 최신의 것들을 가장 잘 수용할 수 있는 가장 참신한 분과이기도 하다. 철학은 어린아이의 손에 쥐어진 낡은 장난감이다. 니체는 《자라투스트라는 이렇게 말했다*Also sprach Zarathustra*》에서 낙타가 사자가 되고 사자가 어린아이가 되는 과정을 설명한 바 있다.³² 너무도 오래되어서 영원하다고 간주되는 지식들에 새로운 젊음을 부여하는 철학은 순수한 만큼 무례하기도 하다.

이 두 역학 사이에는 어떤 관계가 있는가? 자본화를 통한 진보의 선형적 전개와 철학자들이 철학사 속에 남겨 놓은 원형의 궤적들 사이에 다리를 놓는 일을 상상할 수 있을까? 현재의 상황은 그것을 요구한다. 오늘날 많은 철학자들은 이 다리를 놓기 위해 고심하고 있다. 과학과 관련된 것들과 정신적인 것 사이가 더 멀어지고, 라블레가 경고했듯, 마침내 그 거리가 영혼을 황폐하게 만드는 지경까지 갈 경우 인류의 생존이 위협받게 될 것임을 철학자들은 알고 있기 때문이다.

이 모든 시도들 중에서 시간과 관련된 것이 가장 의미심장하다. 기술적 진보에 있어 시간이란 무엇인가? 자본의 증식을 가능하게 하는 무엇이다. 이런 시간은 하나의 선을 따라 앞으로 나아간다. 한 발짝 앞으로 나아갈 때마다 기술적 장치들은 더욱 성능이 좋아지고 포괄적인 기능을 담게 된다. 인간의 기술 자본은 매일 증가한다. 과거는 중요하지 않다. 과거는 이미 자산의 형태로 변형되었기 때문이다. 자본주의적 정신이 먼 과거를 돌아보는 것을 본 적이 있는가? 그럴 이유

---

32 낙타는 무거운 짐을 지고 걸어가는 형상으로서 종교나 도덕을 타율적으로 받아들이는 인간을 상징한다. 반면 사자는 자율적인 존재이지만 자신을 방어하기 위해 긴장과 고독 속에 살아간다. 마지막으로 어린아이는 창조적 유희를 즐기는 자유로운 초인을 표상한다.

가 없다. 노스탤지어는 멈춰 선 이들이 누리는 즐거움이다. 반면 기술적 진보는 앞을 향해 나아간다. 마찬가지 이유로 기술적 진보는 먼 미래에 대해서도 관심이 없다. 불확실성을 경계하기 때문이다. 오직 근접 미래만이 관심을 끌고 욕망의 대상이 된다. 기술적 진보의 시제는 근접 미래이다.─더 정확히는, 근접 미래를 현재로 변형시키는 것, 혹은 시간을 축적된 자본으로 변형시키는 것이다. 그래서 기술적 진보를 길을 닦는 데 쓰는 압축 롤러에 비유하는 것은 매우 적절해 보인다. 롤러는 울퉁불퉁한 아스팔트 표면을 평평하게 다져 흔적을 남기고 지나가는 자신의 느린 움직임 속에 시간을 집중시킨다. 자본화를 통한 선형적 동학은 자신의 영향력을 확장하기 위해 시간을 사용한다. 이를테면 계속해서 쓰이고 있는 역사인 셈이다.

철학적 과정에서는 정반대의 일이 벌어진다. 철학자에게 과거는 실험장이자 진정한 고향이다. 건설과 파괴의 순환적 과정을 따라가면서 철학자는 기원에 관한 질문들, 문명이 탄생하고 선택이 이루어지던 인류의 새벽에 관한 질문들과 만난다. 철학자는 자신의 욕망을 만족시키기 위해 역사를 가로질러 간다. 역사와의 잦은 접촉은 그에게 가능성의 영역을 열어 준다. 역사는 각각의 것들과 그것의 반대를 모두 포함하고 있기 때문이다. 이제 철학자에게는 현재를 심각하게 받아들이는 일이 어려워진다. 시간 속을 여기 저기 돌아다녀 본 이들은 현재의 학설들을 상대적으로 바라볼 줄 알게 된다. 심지어는 그것들을 일시적인 유행 혹은 변덕으로 간주할 수도 있다. 마찬가지로 먼 미래 역시 그들의 관심을 끈다. 그것이 불확실하고 자신의 선호와 탐색으로 그 속을 가득 채울 수 있기 때문이다. 근접 미래는 상대적으로 덜 흥미롭다. 이미 너무 많은 페이지가 채워졌고 너무 많은 이들이 관심을 갖고 있기 때문이다. 철학자는 가능성을 조망하기 위해 먼 곳을 바라보는 편을 선호한다. 입문에 의해 반복되는 순환적 역학은 하나의 정신을 구성하기 위해 시간을 사용한다. 이를테면 계속해서 쓰이고 있는 미래인 셈이다.

이 두 가지 역학이 좀 더 변증법적으로 결합된 모습을 상상하기는 어렵다. 둘은 사사건건 대립한다. 한쪽은 권력과 돈을 소유하고 있다. 다른 쪽은 의식과 욕망이라는 더 소중한 것들을 가지고 있다. 둘 사이의 대립에서 현 시대의 많은 문제들이 도출된다. 이 대립을 상보성으로 변형시키는 일은 철학자들의 몫이다. 실패할 경우 문제는 더욱 심각해질 것이다. 이 두 경향 모두 필요하다. 둘 중 하나를 부정하거나, 한쪽을 목적으로 다른 쪽을 수단으로 설정하는 것은 너무 단순한 발상이다. 둘의 상보적인 관계가 가능하기 위해서는 우선 진보의 다원성에 대해 인식하는 것이 중요하다. 물론 그것만으로는 충분하지 않다. 사회 속에 이런 다원성이 실현될 수 있는 실질적인 공간이 마련되어야 한다. 우리는 그런 공간을 상상할 수 있을까? 우리에게 새로운 비전이 필요한 것일까?

2. 비전들을 넘어서

애도에는 항상 향수가 뒤따른다. 비전은 사유의 잃어
버린 낙원이다. 요릭의 해골을 든 햄릿처럼 철학은 손
끝에 세계에 대한 이론을 받쳐 들고 몇몇 결함들을 수
정했다. 그러나 앞으로 그런 일은 없을 것이며, 우리
는 새로운 상황에 익숙해져야 한다. 비전의 전체주의
는 세계에 대한 설명 속에 배정된 자리를 거부하는 반
항적인 사유들을 가만히 내버려 두지 않았다. 그러나
우리에게 지금 필요한 것은 통일된 사유가 아니라, 관
계와 연결고리, 접속이다.

윌리엄 제임스가 쓴 편지를 통해 우리는 1898년 7월 8일 밤
에 그에게 어떤 일이 있었는지 짐작해 볼 수 있다. 아내에게
보낸 편지에 그는 자신의 생에서 가장 행복했던 그 고독한 순
간에 대해 썼다. 그 당시 윌리엄 제임스는 딸과 딸의 친구들
과 함께 뉴욕 북쪽의 애디론댁 산맥에서 캠핑을 하고 있었다.
그는 그날의 날씨를 이상적이라고 묘사했다. 산 정상 위로
보름달이 떠서 하늘이 훤했다. 어떤 특별한 기운이 자연을
통과하는 게 느껴졌다. 그는 아내와 아이들, 그리고 당시 바

다에 나가 있던 동생 헨리[33]에 대해 생각했고, 에든버러에서 할 강연에 대해 생각했다. 대낮보다 머릿속이 더 명철해지는 그런 밤이었다.

그는 산책을 하러 나섰다. 그는 편지에, 달빛이 모든 사물 위로 마치 마법의 레이스처럼 퍼져 나간다고 썼다. 그는 밤을 꼬박 지새우며 숲 속을 거닐었다. 그가 생각에 빠지고, 무언가를 바라보고, 그루터기에 앉았다가, 일어서서 한참을 걷고, 갔던 길을 다시 돌아오는 모습을 상상해 본다. 그는 온갖 생각과 느낌에 사로잡혀 평온한 텐트를 바라보다가 다시 나무들 사이로 모습을 감추었을 것이다. 동물들은 사냥을 하고 별은 반짝였다. 그는 일종의 엑스터시를 경험했다. 그는 "자신의 존재 속에서 자연의 모든 신화적 신들과 내면적 삶의 정신적 신들의 숭고한 만남이 이루어지고 있음"을 느꼈다.

제임스는 지난 수년간을 극도의 종교적, 실존적 불안 속에서 고통 받았고, 매일 밤 자신이 예전에 정신병자 수용소에서 본 초록색 피부를 가진 미치광이라고 착각할 만큼 공포감에 사로잡혀 몇 달을 보낸 터였다. 제임스의 철학은 이런 경험들을 반영하고 있다. 이 모든 사실을 감안했을 때 그날 밤은 제임스에게 일종의 계시 같은 것이었으리라. 그는 자연과 그것의 힘을 느꼈고, 자연과 자신이 하나임을 느꼈다. 그는 하염없이 숲 속을 거닐었다. 전나무들 사이를 돌아다니면서 그는

---

33 소설가 헨리 제임스를 말한다.

자신의 집 안에서 길을 잃고 자신의 고향과 한 몸을 이루었다. 그는 신화적 신들과 내면적 삶의 신들이 공존한다는 것을 생각 이전에 느낌으로 알았다. 그는 자연이 자신 속에서 어떤 의미를 지니듯 자신 역시 자연 속에서 의미를 지니고 자신의 존재를 인정받았다고 느꼈다. 그와 자연이 각자의 길을 가지만 더 근본적인 조화가 둘의 차이를 두드러지게 하면서 동시에 감싸 안는 것을 느꼈다.

깊은 숲 속, 달빛 아래서 제임스는 그때까지 그 어떤 책도 그에게 가르쳐 주지 못한 것을 깨달았다. 사실상 그는 그것을 언제나 가슴 속에 품어 온 터였다. 파스칼은 "네가 나를 이미 발견하지 않았다면 너는 나를 찾지 않을 터이다"라고 말하지 않았던가. 그러나 비전을 보기 위해서는 고독한 시간이 필요했던 것이다. 자연은 다양하고 무한한 형태로 모습을 드러내고 있었다. 그 속에는 동물적 삶이 우글거렸다. 제임스의 머릿속에 떠오른 인간의 관념들은 정신의 희미한 빛과 불꽃이 어지럽게 소용돌이치고 있는 하나의 전체 속의 일부분으로서 각자 자신의 자리를 부여받고 있었다. 그는 보았고 자신의 철학을 완성했다. 설마 가능하리라고 꿈도 꾸지 못했던 합일^{습一}이 솔잎 위로 떨어지는 달빛만큼이나 명백해 보였다. 자연의 내면적 삶이 제임스의 영혼 속에서 공명했고, 그의 지성을 가로막고 있던 막다른 골목으로부터 그를 해방시켜 주었다.

그 밤은 미국의 철학사적 흐름을 뒤바꾸어 놓았다. 제임스는 그날 밤의 기억을 영원히 간직했다. 그는 평생 동안 그날 본 비전에 충실했다. 그 비전은 그의 사유의 모태가 되었다. 그날 밤 그가 받은 모든 인상은 평생 동안 그에게 원체험으로 작용했다. 하나의 비전을 해석하는 일은 평생이 걸린다. 놀랍게도 그날 밤의 산책은 그의 몸에도 지울 수 없는 흔적을 남겼다. 그날 산책에서 돌아온 그는 눈을 좀 붙였을까? 아마도 새벽에 몇 시간쯤 잤을지도 모르겠다. 다음날 그는 딸과 딸의 친구들과 함께 베이슨 산을 올랐다. 그들은 고딕 건축물처럼 우뚝우뚝 솟은 절벽을 기어오르고 고개를 넘어갔다.

7월의 하늘은 청명했다. 제임스는 힘겨워했다. 쉰여섯의 나이도 나이였지만 간밤의 경험으로 인한 충격 때문이었다. 그는 자주 비틀거렸다. 조끼가 찢어졌다. 그는 멀쩡하게 보이려고 애썼지만 자신 속에서 무언가가 이미 끊어져 버렸음을 느꼈다. 그는 온종일 그렇게 비틀거리며 산을 올랐다. 나중에 그는 심장에 문제가 생겼다는 진단을 받았고 평생 회복하지 못했다. 그의 몸에 애디론댁 산맥의 변성암들 사이에서 보낸 며칠간의 흔적이 고스란히 남았다는 사실은 매우 흥미롭다.

위대한 철학자들은 대부분 일종의 계시를 체험했다. 언어로 작업하는 이들이지만 말을 앞서는 느낌에 의해 사로잡히기도 하는 것이다. 이 느낌은 사유가 아니다. 사유란 한 사람이 평생 동안 자기 자신과 나누는 긴 대화와 같은 것이다.

그렇다고 관념이라고 볼 수도 없다. 관념은 추상적인 것이다. 제임스는 자연과 의식의 흐름이 공존하는 것에 대해 생각해 본 적이 없었다. 그는 그날 밤 산속에서 신들과 만났다. 일종의 비전이었다. 다른 말로는 설명이 불가능하다. 그날 밤의 느낌을 논리적 어휘로 표현할 수 있게 된 건 나중에 정신을 수습하고 난 뒤였다. 그전까지는 논리보다는 어떤 것도 선행되지 않은 단순한 종합에 가까웠다. 그는 영혼의 눈, 육체의 눈을 통해 보았다. 그날 밤의 풍경 속에는 답보 상태에 있던 그의 정신세계를 재구성하도록 자극하는 힘이 있었다. 그게 아니라면 단지 신경 발작에 불과했을지도 모른다. 비전이란 사실상, 하루 전까지만 해도 유일하게 유효한 것으로 보였던 생각의 방식들을 돌이킬 수 없게 무효화시키는 신경 발작의 일종이다.

헤겔 역시 그처럼 계시를 받은 사람 중 하나였다. 그의 변증법은 처음에는 대립의 해소를 위한 논리적 방법이 아니라, 존재의 모든 차원들에서 나타나는 투쟁, 서로에 대한 부정을 통해서만 발전해 나갈 수 있는 이 투쟁에 대한 비전의 표현이었다. 이것은 반박 불가능하고 보편적으로 존재하는 우주적 인식이었으며, 그것을 벗어나 헤겔은 사유할 수 없었다. 헤겔에게는 오직 그 비전만이 언어로 표현하고자 하는 유일한 현실이었다. 베르그송의 세계 역시 우주적 비전의 결과였다. 베르그송에게는 그 비전이 너무도 절대적이어서 그것이 현실에 대한 최상의 설명인 것처럼 보였다. 물질이 에너지를 잃고 무너진 후 정신화의 과정을 통해 발전하는 창조적 진화를 설명하는 이 비전은 형이상학적 직관의 지적인 번역인 셈이다. 시몽동 역시 계시를 경험했다. 개체화의 경향이 크리스털에서 인간까지 모든 존재를 관통한다는 생각은 결코 추상적인 관념이 아니다. 이 생각은 세계에 대한 보편적인 설명으로서 청소년 시기부터 이미 그의 머릿속에 자리 잡고 있었다. 시몽동은 그때부터 자신의 생각이 잘못 전달될 것이 두려워 이 생각을 반복해서 표현하려고 애썼다. 후설과 사르트르의 예를 들 수도 있다. 데카르트가 보았다는 환영, 파스칼이 받은 계시, 의지에 대한 쇼펜하우어의 열광, 산 정상에서 자라투스트라가 본 비전 등 예는 무수히 많다.

훌륭한 비전은 위대한 사유만큼이나 드물다. 입문을 통해 순환적으로 진보하는 철학은 비전을 통해 급진적인 변형을 겪는다. 철학은 도약한다. 그 전과 후를 비교하는 것은 불가능하다. 양쪽은 더 이상 같은 언어로 말하지 않는다. 기준도 다르고 개념도 새로워진다. 새로운 지적 세계로 옮겨 온 것이다. 모순으로 가득 찬 시대는 이런 순간을 고대한다. 지금 시대 역시 이런 순간을 필요로 할까?

철학사의 큰 물줄기를 바꿔 놓은 것은 대부분 이론적 논쟁보다는 비전이었다. 이런 의미에서 철학은 그것을 구성하는 기능들을 넘어서는, 비전을 보는 능력으로 정의할 수 있을 것이다. 비전은 구체적인 내용을 결여한 과정이 아니다. 비전은 물질적이고, 실질적이고, 감각적이다. 비전은 응시의 대상이다. 한밤중에 철학자의 내면적 독백 속에서 펼쳐지는 우주적 스펙터클이다. 철학자는 때로 광기에 가까운 이 과정을 통해 모든 것과 접촉한다. 이 비전이 드러내는 힘은 보편성을 획득한다. 비전은 철학자에게 존재와 시간에 다가갈 수 있는 길을 열어 준다.

철학이 진보하는 방식은 두 가지가 있다. 첫 번째 방식은 철학자의 욕망을 드러낸다. 철학자는 철학적 과정들을 변형시키기 위해 그것들을 탈취한다. 이 과정은 입문을 통한 순환의 리듬을 따른다. 두 번째 방식은 비전에 의한 것으로 혁명을 추동한다. 이는 일종의 방향 전환으로서 새로운 좌표 기준을 요구한다.

이 글을 끝내는 시점에서 우리는 새로운 철학적 비전의 필요성을 역설해야 할까? 그럴지도 모른다. 우리는 모순이 매우 격화된 시대를 살고 있다. 기술적 역학과 좀 더 인간적인 철학적 역학이 대립하고 있다. 둘 사이의 상보 관계가 어떻게 가능할지 우리는 모른다. 새로운 관점이 요구되는 시점이다. 새 관점을 통해 두 경향을 화해시키고 양자의 상보 관계를 상상할 수 있을 것이며, 양자의 다른 시간성時間性 사이에서 균형을 찾을 수 있을 것이다. 이 관점은 현재뿐 아니라 과거와 미래에 대한 감각을 지니며, 무엇보다 현재의 발전 속에서 망각되는 모든 희생되는 영혼들에 관심을 기울인다. 이 비전은 틀을 넘어서는 생성을 촉진하고, 진보의 방식들 사이에 존재하는 위계를 극복할 것이다. 이 비전은 또한 다양한 문화들의 평화로운 공존을 사고하기 위한 개념적 수단들을 제공할 것이다. 그럼으로써 진정한 의미의 다원주의를 가능케 할 것이다.

이중의 역학이 제기하는 현재의 문제들과 미래의 비전이 만나기 위해서는 이상의 조건들이 만족되어야 한다. 이런 조건들이 나열된 목록이 존재하고, 많은 이들이 현재의 상황에 대한 진단에 동의한다고 해서 유효한 비전은 오직 하나만 존재할 것이라고 결론 내릴 수는 없다. 우리는 항상 새로운 관점을 요청하고자 하는 유혹을 느낀다. 비전은 철학의 욕망이면서 동시에 철학을 초월한다. 새로운 비전을 요청한다는 것은 새로운 메시아를 기다리는 것과 같다. 이는 현재의 사유가 무력함을 고백하는 것이고 더 우월한 힘에게 도움과 영감을 요청하는 것이다. 이런 의미에서 철학과 예언자적 관계를 맺는 것보다 더 낭만적인 일은 없을 것이다. 우리가 자기 사유의 한계를 인식했을 때 요청하는 것은 다른 사유의 절대성이다. 하나의 초월적 사유, 현재의 사유를 넘어서는 비전을 필요로 하는 것이다.

어쩌면 이제 철학이 과거 위대한 비전들의 죽음을 애도하는 일을 그만둘 때가 왔는지도 모르겠다. 철학적 계시를 통한 낭만주의는 전례 없는 지적 엑스터시를 선사했다. 그러나 그런 시대가 다시 올 것 같지는 않다. 만약 그게 가능하다면 현재 문제의 극복 가능성을 부정하는 셈이 될 것이다. 사유 속에서 우리가 기대하는 것은 정확히 말해 한 비전의 보충물이다. 비전은 사실상 독단적이고 교조주의적이다. 비전은 논쟁의 대상이 아니다. 비전은 끊임없이 변주되고 비판받고 삶에 의해 도전받는 대상이 아니다. 비전은 주어질 뿐이며, 따라서 초월적인 것이다. 그러나 다양한 경험과 신앙, 삶의 방식에서 비롯된 우리의 문제들은 낭만주의적 비전으로는 해결할 수 없다. 어떤 통일성도 수많은 운동과 믿음 속에 드러나는 다양성에 답이 되지는 못한다.

애도에는 항상 향수^{nostalgie}가 뒤따른다. 비전은 사유의 잃어버린 낙원이다. 요릭의 해골을 든 햄릿처럼 철학은 손끝에 세계에 대한 이론을 받쳐 들고 몇몇 결함들을 수정했다. 그러나 앞으로 그런 일은 없을 것이며, 우리는 새로운 상황에 익숙해져야 한다. 비전의 전체주의는 세계에 대한 설명 속에 배정된 자리를 거부하는 반항적인 사유들을 가만히 내버려두지 않았다. 그러나 우리에게 지금 필요한 것은 통일된 사유가 아니라, 관계와 연결고리, 접속이다.

철학적 작업들 속에서 전개되는 사유는 내재적이고 고유하다. 기억과 공모 관계를 맺지만 회상을 방법론으로 삼지는 않는다. 이 사유는 스스로를 즐거운 학문으로 내세운다. 자신에 대한 문제 제기야말로 이 사유의 첫 번째 즐거움이다. 한편 이 사유는 논박의 대상이 될, 세계에 대한 설명을 제공하지도 않는다. 대신 철학적 작업들을 제안한다. 이 작업들은 직접 그것을 수행하는 이들에게만 의미가 있다. 이 사유는 철학을 하나의 욕망으로 만든다. 이 사유는 삶과 이론의 게임을 수행하고, 바로 이 책이 그러하듯 앞으로 도래할 것들에 자리를 내주기 위해 논 피니토로 남기를 원한다.

옮긴이 정기헌

파리8대학에서 철학을 공부하고, 한국외국어대학교 통역번역대학원을 졸업했다. 번역한 책으로는 《프란츠의 레퀴엠》, 《남겨진 사람들》, 《고독의 심리학》, 《트레이더는 결코 죽지 않는다》, 《고양이가 내게 말을 걸었다》, 《퀴르 강의 푸가》, 《철학자에게 사랑을 묻다》, 《프랑스는 몰락하는가》, 《해피스톤은 왜 토암바 섬에 갔을까?》, 《괜찮아 마음 먹기에 달렸어》, 《리듬분석》 등이 있다. 〈르몽드 디플로마티크〉 한국판 번역에도 참여하고 있다.

논 피니토 : 미완의 철학

초판 1쇄 발행 2014년 4월 7일

지은이 파스칼 샤보
옮긴이 정기헌
펴낸이 양소연

기획편집 함소연 **디자인** 하주연 이지선 **마케팅** 이광택
관리 유승호 김성은 **인터넷사업부** 백윤경 이정돈 최지은

펴낸곳 함께읽는책 등록번호 제25100-2001-000043호 **등록일자** 2001년 11월 14일

주소 서울시 금천구 디지털로 9길 68, 1105호(가산동, 대륭포스트타워 5차)
대표전화 1688-4604 **팩스** 02-2624-4240 **홈페이지** www.cobook.co.kr
ISBN 978-89-97680-09-2(03100)

함께읽는책은 도서출판 **나눔의집**의 임프린트입니다.